幼儿版十万个为什么

下册

少年儿童出版社

目　　录

7/13

序　言

"大象为什么长着一个长鼻子？"

"蜗牛为什么要背那顶大笨壳？"

"人为什么打呵欠？"

这些我们平时觉得很简单的问题，如果仔细想一想，问一个"为什么"，就会觉得不可思议而又妙趣横生。世界上很多伟大的发明、发现，都是从问"为什么"开始的。

我们编写这套书，是把孩子们经常提出的问题进行归类，内容涉及天文、地理、生物、人体、健康教育等各方面，并根据幼儿的特点，进行了浅显易懂的解释。配上汉语拼音和大量生动、有趣的插图，使小朋友们能读懂这些问题，以期在他们幼小的心灵中撞击出渴求知识的火花。

兔子耳朵为什么特别长

tù zi zhǎng zhe yòu cháng yòu dà de ěr duo shì wèi le
兔子 长 着 又 长 又 大 的 耳朵 是 为了
néng gòu hěn hǎo de shēng cún xia lai   duǒ bì xiōng è dòng
能 够 很 好 地 生 存 下来，躲 避 凶 恶 动
wù de xí jī
物 的 袭击。

wǒ men zhī dao tù zi shì hěn ruò xiǎo de dòng wù   tā
我 们 知 道 兔子 是 很 弱 小 的 动 物，它
jīng cháng shòu dào hú li   lǎo yīng děng dòng wù de wēi xié
经 常 受 到 狐 狸、老 鹰 等 动 物 的 威 胁，
bù xiǎo xīn jiù huì chéng wéi tā men de liè wù   ér tù zi yòu
不 小 心 就 会 成 为 它 们 的 猎物。而 兔子 又

méiyǒunéng lì xí jī héwēihài qí tā dòngwù wéi yī deběn
没有 能 力袭击和危害其他 动 物,唯一的本

lǐng jiù shì tiào yuè zhe táopǎo duǒ bì suǒ yǐ tā jīngcháng
领就是跳跃着逃跑、躲避,所以它经 常

shù qǐ ěr duo zhù yì sì miàn bā fāng de dòngjìng yǐ fáng
竖起耳朵,注意四面八方的动 静,以防

qí tā dòngwù de xí jī jiǔ ér jiǔ zhī tù zi de ěr duo jìn
其他 动 物的袭击。久而久之,兔子的耳朵进

huà de yuè lái yuè dà shōu tīng shēng yīn yě yuè lái yuè qīng
化得越来越大,收 听 声 音也越来越清

chu suǒ yǐ wǒmen
楚,所以我们

xiàn zài kàn dào de
现在看到的

tù zi jiù zhǎngzhe tè
兔子就 长 着特

bié dà tè bié cháng
别大、特别 长

de ěr duo
的耳朵。

3

大象为什么长着一饿鼻子

xiǎo péng yǒu yí dìng zài dòng wù yuán li kàn guo dà
小朋友一定在动物园里看过大
xiàng chī dōng xi ba　　dà xiàng huì yòng tā de cháng bí zi
象吃东西吧？大象会用它的长鼻子
bǎ shí wù juǎn jìn zuǐ li　　nǐ zhī dao dà xiàng de bí zi hái
把食物卷进嘴里。你知道大象的鼻子还
néng zuò shén me shì ma　　tā néng wén yuǎn chù piāo lai de
能做什么事吗？它能闻远处飘来的
xiāng wèi tiān qì yán rè shí　dà xiàng jiù bú duàn de yòng bí
香味；天气炎热时，大象就不断地用鼻
zi xī shuǐ pēn zài shēn shang　shǐ zì jǐ liáng kuai yì diǎn　dà
子吸水喷在身上，使自己凉快一点；大
xiàng hái huì yòng bí zi bǎ mù tou juǎn qi lai　yě huì bān yùn
象还会用鼻子把木头卷起来，也会搬运
dōng xi　　dà xiàng de bí zi hé rén de shǒu yí yàng líng huó
东西。大象的鼻子和人的手一样灵活。

远古时候的大象，身体不像现在这么笨重，鼻子也没有现在这么长。因为象的鼻子用处很大，所以经过几千万年的时间，在不知不觉中，变得越来越长。科学上把这种现象叫做进化。现在，动物园里的大象，以印度象和非洲象占多数。

孔雀为什么开屏

rénmen dōu xǐhuan kàn kǒngquè kāipíng dāng tā bù
人们都喜欢看孔雀开屏,当它不

kāipíng shí rénmen jiù chuān zhe yànlì de yīfu dǎkāihuā
开屏时,人们就穿着艳丽的衣服,打开花

sǎn dòu tā kāipíng wèi shénme zhèyàng zuò kǒngquè jiù
伞,逗它开屏,为什么这样做孔雀就

huì kāipíng ne
会开屏呢?

yì bān néng kāipíng de dōu shì xióng kǒngquè wèi le
一般能开屏的都是雄孔雀,为了

得到雌孔雀的芳

心，雄孔雀展开了

激烈的竞美大赛。

两雄相遇，各自展开美丽的羽毛，翩

翩起舞，漂亮的携妻而去，丑的只能自

惭形秽，终生打"光棍"了。春末夏

初，正是孔雀繁殖季节，雄孔雀见到

着艳装的人，以为是"情敌"，就立刻开

屏，直到将对方比下去才胜利收兵。

为什么猴子吃东西特别快

dòngwùyuán li xì xīn de xiǎopéngyǒuhuì fā xiàn
动 物 园 里,细 心 的 小 朋 友 会 发 现,

táo qì de hóu zi chī dōng xi kě kuài le tè bié shì dōng xi
淘 气 的 猴 子 吃 东 西 可 快 了。 特 别 是 东 西

shǎo hóu zi duō de shí hou tā men hěn bù yǒu hǎo bǎ
少 , 猴 子 多 的 时 候, 它 们 很 不 友 好, 把

qiǎngduódào de shíwù jí jí mángmángwàngzuǐ li sāi yě
抢 夺 到 的 食 物 急 急 忙 忙 往 嘴 里 塞,也

kàn bu jiàn tā menjiáo kě yì zhǎyǎngōng fu tā menliǎn
看 不 见 它 们 嚼。 可 一 眨 眼 功 夫,它 们 脸

dànliǎngbiānjiù gǔ qi liǎnggè dàbāo zhèshìzěnmehuíshì
蛋 两 边 就 鼓 起 两 个 大 包 ,这 是 怎 么 回 事?

原来，猴子嘴里的两边各多长了一个如同口袋一样的东西，叫"颊囊"，它主要就是用来贮藏食物的。猴子们把抢夺到的食物先在颊囊里存起来，然后躲在一边细嚼慢咽。这就是猴子看上去吃东西特别快的原因。

猫嘴边都长着两撇长长的胡
子，你知道它有什么作用吗？

原来，猫的胡子好像一把尺，两端
之间的距离与它身体的大小是相等的。

当被追赶的老鼠逃进洞里时，猫就要

xiǎo xīn le　rú guǒ shēn tóu jìn dòng shí hú zi pèng dào le
小心了,如果 伸头进洞时胡子碰到了

dòng bì　zhè jiù shì gào su tā　dòng tài xiǎo le　jìn bu qù
洞壁,这就是告诉它: 洞太小了,进不去,

yìng yào jìn qu jiù huì bèi qiǎ zhù　rú guǒ hú zi méi yǒu pèng
硬要进去就会被卡住;如果胡子没有 碰

dào dòng bì　shuō míng dòng kǒu jiào dà　kě yǐ fàng xīn
到洞壁,说明 洞口较大,可以放心

chōng jìn qu
冲 进去。

　　zěn me yàng　hú zi zhè zhǒng qí miào de yòng chu nǐ
怎么样,胡子这 种奇妙的用处你

méi xiǎng dào ba
没想到吧。

11

为什么夏天狗总是伸着舌头喘气

xià tiān jīng cháng kàn dào xiǎo gǒu zhāng zhe zuǐ ba
夏天，经常看到小狗张着嘴巴，

shēn chu shé tou chuǎn qì shì bu shì xiǎo gǒu bìng le ne
伸出舌头喘气，是不是小狗病了呢？

qí shí zhè shì xiǎo gǒu zài sàn fā shēn shang de rè
其实，这是小狗在散发身上的热

liàng rén dào le tè bié rè de shí hou jiù huì chū hàn hàn
量。人到了特别热的时候，就会出汗。汗

是从我们皮肤上许多小孔排出来的。

这些小孔叫汗腺。而小狗的汗腺在它

舌头上，天热时，小狗就会伸出舌头，

加快呼吸，让汗快一些排出来，散发出热

量，就感到凉快啦。

袋鼠腹部的袋子是干什么的

dàishǔ zhōng zhǐ yǒu cí dàishǔ de fù bù cái yǒu dài zi
袋鼠 中 只 有 雌 袋 鼠 的 腹 部 才 有 袋 子，

zhè shì tā yǎng yù yòu ér yòng de
这 是 它 养 育 幼 儿 用 的。

gāng chū shēng de xiǎo dàishǔ zhǐ yǒu rén de xiǎo zhǐ
刚 出 生 的 小 袋 鼠，只 有 人 的 小 指

tou yí bàn cháng shēn tǐ de xíng zhuàng hái zhǎng de bù zěn
头 一 半 长，身 体 的 形 状 还 长 得 不 怎

me wán quán suǒ yǐ bì xū dāi zài māma de dài zi li chī nǎi
么 完 全，所 以 必 须 呆 在 妈 妈 的 袋 子 里 吃 奶、

14

生长。约半年以后，才到袋子外面活动。令人不可思议的是刚出生的小袋鼠能自己爬进雌袋鼠的袋中，而不是它妈妈拎进去的。

在澳洲，像袋鼠这种有袋子的动物还有很多，它们统称为"有袋类"动物。

青蛙没听气象预报，怎结道
快下雨了

qīng wā dōu cóng tián li pǎo chu lai le　guā guā jiào
"青 蛙 都 从 田里 跑 出 来 了, '呱 呱' 叫

de shēng yīn zhēn dà　yí dìng shì yào xià yǔ le　zhè zhǒng
的 声 音 真 大, 一 定 是 要 下 雨 了!" 这 种

shuō fa yǒu méi yǒu dào li ne
说 法 有 没 有 道 理 呢?

nǐ yòng shǒu mō mo qīng wā　tā de shēn shang shì bu
你 用 手 摸 摸 青 蛙, 它 的 身 上 是 不

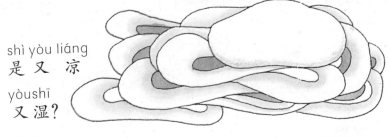

是又凉
又湿?

青蛙最喜欢水，总是在水中或离水近的地方活动，所以它的身上一天到晚都是凉凉湿湿的。水对青蛙实在太重要了，它的身体如果不能一直保持湿湿的，就会活不了。

天要下雨以前，空气就会变得湿湿的。

这个时候青蛙们高兴极了，一只只都跑出来唱歌呢！

狐狸为什么模仿羊兔的叫声

xiǎopéngyǒumendōuzhīdao hú li shìzhuānménchī
小朋友们都知道,狐狸是专门吃

yáng tù děngxiǎodòngwù de hú li jì xiōngcányòujiǎo
羊、兔等小动物的。狐狸既凶残又狡

huá wèi le bǔ zhuō liè wù jiǎohuá de hú li chángcháng
猾,为了捕捉猎物,狡猾的狐狸常常

躲在小羊、小兔子经常活动的地方，模仿它们的叫唤声。善良无知的小羊、兔子还以为是同伴在招呼它们，就高高兴兴顺着声音找去。这时候，躲在一旁的狐狸却突然蹿出来，羊和兔子被吓傻了，只好乖乖地被狐狸吃掉。

不过，狐狸也有"聪明反被聪明误"的时候，有时，它模仿的叫声却把饥饿的狼引来，一口将它咬死，吃掉了。

蜗牛为什么要背那顶大帐篷

做蜗牛实在太棒了！背着房子
到处玩，什么时候想睡觉就可
以缩进去，做一个好梦。你羡慕它
的生活吗？

很久很久以前，蜗牛的家在水里，后来才跑到陆地上来生活。所以蜗牛的身体又湿又软，水分很多。

如果蜗牛没有壳，太阳一照，它就会被晒成蜗牛干死掉了。现在你一点都不羡慕它了吧？

蜗牛的外壳里，有很多粘粘的汁，使它的身体一直湿湿的。蜗牛的外壳可以挡住太阳，又能保护软软的身体，你说用处大不大？

21

为什么蝉白天才会叫

xià tiān zài gōng yuán li wǒ men cháng huì tīng dào
夏天，在公园里，我们常会听到

chán de jiào shēng
蝉的叫声。

chán zài hēi àn de dì fang jiù jìng jìng de xiū xi bù xǐ
蝉在黑暗的地方就静静地休息，不喜

huan dòng yě bù xǐ huan jiào
欢动，也不喜欢叫。

chán wǎn shang hěn shǎo jiào dà gài hé tā de shēn tǐ
蝉晚上很少叫，大概和它的身体

构造有关，因为晚间的温度和白天不一样，空气的湿度也有差别。

公蝉会叫，母蝉不会叫。公蝉拼命大叫，也许是在招呼母蝉吧！这可能是它们的信号。

蜘蛛捕食时为什么总是头朝下

zhīzhū zhī hǎo le wǎng yǐ hòu huì duǒ zài yì biān kān shǒu
蜘蛛织好了网以后，会躲在一边看守
zhe yì fā xiàn yǒu xiǎo chóng zhān dào wǎng shang tā lì kè jiù
着，一发现有小虫粘到网上，它立刻就
huì pá guo qu bǎ xiǎo chóng yǎo sǐ bǎo cān yí dùn
会爬过去把小虫咬死，饱餐一顿。
suǒ yǐ zhī zhū tōng cháng dōu shì tóu cháo xià zài wǎng de
所以蜘蛛通常都是头朝下，在网的

上方等待着。当它
要下来时，只要利用自己
身体的重量，很快就
可以滑下来。对蜘蛛来说，
这样滑动，是接近猎物最
迅速的方法。

而且蛛丝是
从它的屁股吐
出来的，它吊着丝
向下滑动
时，头当然就
朝下方了。也许这对蜘蛛来说，是最舒服的
一种姿势。

苍蝇的脚为什么常常会合在一起

rú guǒ nǐ zǐ xì de guān chá guo cāng ying jiù huì fā
如果你仔细地观察过苍蝇,就会发

jué cāng ying zhǐ yào yì tíng xia lai jiù huì bǎ jiǎo hé zài yì qǐ
觉,苍蝇只要一停下来,就会把脚合在一起

dòng ge bù tíng
动个不停。

qǐng nǐ yòng xiǎn wēi jìng zǐ xì de guān chá cāng ying
请你用显微镜仔细地观察苍蝇

de jiǎo tā de jiǎo shang yǒu hěn duō hěn duō de máo ér qiě
的脚,它的脚上有很多很多的毛,而且

háiyǒuruì lì dezhuǎ
还有锐利的爪。

yīnwèicāngyingjiǎoshangyǒuzhuǎ suǒ yǐ róng yì fù
因为苍蝇脚上有爪，所以容易附

zhuó xì xiǎo de ní tǔ chén āi cāngyingcháng bǎ jiǎo hé
着细小的泥土、尘埃。苍蝇常把脚合

zài yì qǐ dòng ge bù tíng dà gài jiù shì wèi le qù chú zhuǎ
在一起动个不停，大概就是为了去除爪

shang de zāngdōng xi ba
上的脏东西吧。

cāngyinghái lì yòngqiánjiǎogǎnjué
苍蝇还利用前脚感觉

wèidao tā deqiánjiǎo bǐ rén de shétouhái
味道，它的前脚比人的舌头还

mǐn ruì kě yǐ qīng yì de biàn bié wèi
敏锐，可以轻易地辨别味

dao cāng ying wèi le biàn bié
道。苍蝇为了辨别

gè zhǒng wèi dao
各种味道，

suǒ yǐ cháng bǎ qián
所以常把前

jiǎo hé bìngzài yì qǐ
脚合并在一起。

蜜蜂用身体的哪一部分刺人

xiǎng zhuō mì fēng de rén yào xiǎo xīn　yīn wèi mì fēng
想 捉 蜜蜂 的 人要 小心,因为蜜蜂
huì bǎ wěi ba qiào qi lai zhē nǐ de shǒu
会把尾巴 翘 起来蜇你的 手 。

dà hú fēng shì yì zhǒng kě pà de fēng　tā yì shēng qì
大胡 蜂 是一 种 可怕的蜂,它一 生 气,
wěi ba jiù chuí xia lai duì zhǔn rén de yǎn jing jìn gōng　kě
尾巴就 垂下来对 准 人 的 眼 睛 进攻。可

见，蜂类是用尾部的针蜇人的。

蜜蜂身上有一根细管子，把它的针和肚里的毒囊连起来。蜜蜂用针蜇人的时候，毒液就从毒囊流出来，经过细管子，从针头注入人的身体里面，所以被蜜蜂蜇到的地方会痛和红肿。

蜜蜂一生气就会蜇人，所以千万不要用手抓它们，或用木棒打它们的巢。

世界上最大的昆虫是什么

kūn chóng de dà xiǎo　　kě yǐ fēn liǎng fāng miàn lái
昆　虫　的大小，可以分　两　方　面来

shuō　　yì zhǒng shì zhāng kai chì bǎng yǐ hòu de dà xiǎo
说：一种是张开翅膀以后的大小，

lìng yì zhǒng jiù shì kūn chóng běn shēn de dà xiǎo
另一种就是昆虫本身的大小。

rú yǐ zhāng kai chì bǎng lái bǐ jiào　shì jiè shang zuì dà
如以张开翅膀来比较，世界上最大

的昆虫是皇蛾。它主要出产在我国的台湾省等地。皇蛾前翅张开，两端的距离有25厘米长。

如果仅以昆虫本身的大小来说，要数产在非洲刚果的金龟子最大，它的身体长约15厘米。

像这些大型的昆虫，主要都是生长在热带地方，寒带的昆虫体型较小。

　　niǎo de chì bǎng shang zhǎng zhe xǔ duō yǔ máo　hěn
　　鸟 的 翅 膀 上 长 着 许多 羽毛，很

qīng　　tā bǎ shēn tǐ liǎng biān de chì bǎng zhāng kai lai
轻。它 把 身 体 两 边 的 翅 膀 张 开来，

shàng xià bù tíng de pāi dòng　zhè yàng　zhōu wéi jiù huì chǎn
上 下 不停地 拍 动，这 样，周 围 就 会 产

shēng fēng　niǎo biàn shùn zhe fēng màn man fēi shang tiān
生 风，鸟 便 顺 着 风 慢 慢 飞 上 天

kōng
空。

　　niǎo de gú tou shì kōng xīn de　tǐ nèi yòu yǒu zhuāng
　　鸟 的 骨头 是 空 心 的，体 内 又 有 装

kōng qì de qì náng　ér qiě huī dòng chì bǎng de lì qi hěn
空 气 的 气 囊，而 且 挥 动 翅 膀 的 力 气 很

32

大，所以很适合飞行。

以前，有人专门在身上装了两个翅膀，想像鸟一样在天上飞。但是人的身体很重，又没有力气挥动翅膀，所以根本飞不起来。

鸟在天空中，利用翅膀和尾巴的羽毛，做各种不同的飞行动作，自由自在地飞翔。

为什么海龟要流泪

shēng huó zài hǎi li de hǎi guī jīng cháng dào àn shang
生 活 在 海 里 的 海 龟 经 常 到 岸 上

lái shēng dàn qí guài de shì tā zài shēng dàn shí yǎn jing li
来 生 蛋，奇 怪 的 是 它 在 生 蛋 时，眼 睛 里

bù tíng de liú chū yǎn lèi tā wèi shén me yào liú lèi ne shì
不 停 地 流 出 眼 泪。它 为 什 么 要 流 泪 呢？是

yīn wèi shēng dàn shí hěn tòng ne hái shì yīn wèi àn shang gān
因 为 生 蛋 时 很 痛 呢？还 是 因 为 岸 上 干

zào yǎn jing shòu bu liǎo huò zhě shì xì shā mí jìn yǎn
燥 眼 睛 受 不 了？ 或 者 是 细 沙 迷 进 眼

zhōng
中 ？

dōu bú shì hǎi guī cháng shí jiān shēng huó zài hǎi li
都 不 是。海 龟 长 时 间 生 活 在 海 里，

34

hē de shì xián de hǎi shuǐ chī de shì hán yán liàng jí gāo de yú
喝的是咸的海水，吃的是含盐量极高的鱼

xiā děng   yán fèn tài duō duì hǎi guī shēn tǐ yǒu hài suǒ yǐ
虾等。盐分太多对海龟身体有害，所以，

hǎi guī de yǎn wō hòu mian shēng yǒu pái chu yán fèn de yán
海龟的眼窝后面生有排出盐分的"盐

xiàn   tā jiù kào yán xiàn jiāng tǐ nèi duō yú de yán fèn
腺"，它就靠"盐腺"将体内多余的盐分

cóng yǎn jing zhōng pái chu lai zhè yàng hǎi guī jiù bú huì
从眼睛中排出来，这样海龟就不会

shēng bìng la
生病啦。

35

螃蟹只会横着走吗

píngshí wǒmen shuō qǐ pángxiè lái zǒngshì yòng héng
平时我们说起螃蟹来，总是用横

xíng bà dào lái xíngróng tā men nándào pángxiè zhǐ huì héng
行霸道来形容它们，难道螃蟹只会横

zhe zǒu ma
着走吗？

qí shí tā men yě huì xiàngqián xiànghòu zhízhe zǒu
其实，它们也会向前、向后直着走。

pángxiè shēn tǐ de zuǒbian yòubian dōu gè yǒu sì zhī
螃蟹身体的左边、右边都各有四只

jiǎo
脚。

tā de jiǎo zhǐ néng xiàng nèi wān héngzhe zǒu hěn fāng
它的脚只能向内弯，横着走很方

便，直着走就太慢了。我们老是看见它
横着走，就是因为这个缘故。

　　但是螃蟹要抓食物吃的时候，它就得
直着走了。有时候，螃蟹发现四周都没
有敌人，它也会向前、向后走几步，玩
一会儿。就像你有时候喜欢
跳着走几
步一样！

为什么鳄鱼不属于鱼

鳄鱼其实并不是鱼，而是可以生活在水陆两地的两栖动物。

鳄鱼喜欢吃水中的昆虫、甲壳类、鱼类、蛙类和蛇类。有时也捕捉小鸟和小兽。它在水中生活为什么水不会从鼻孔流进身体里呢？

原来鳄鱼鼻孔的开口处有一层膜，

像 门 一 样。潜 入 水 底 时，它 便 把 "门"

关 上 ，防 止 水 流 到 鼻 子 里。鳄 鱼 身 体 内

部 的 许 多 器 官 很 像 人 和 其 他 一 些 哺 乳

动 物。所 以 鳄 鱼 是 爬 行

动 物 中 最 高 级 的

动 物。

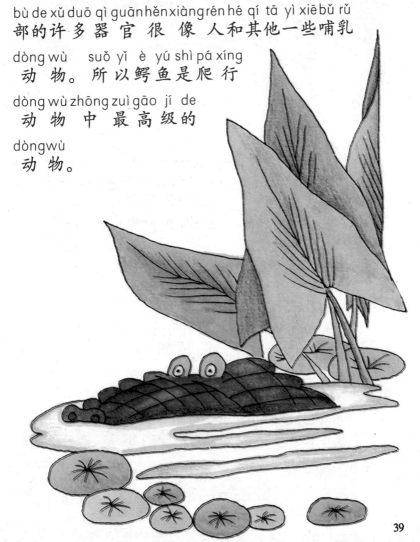

为什么泥鳅能预报天气变化

hěn duō dòng wù dōu néng yù bào tiān qì   qí zhōng ní
很多动物都能预报天气,其中泥

qiū de běn lǐng shì zuì dà de
鳅的本领是最大的。

shēng huó zài shuǐ zhōng de ní qiū   yī kào shuǐ róng jiě
生活在水中的泥鳅,依靠水溶解

kōng qì zhōng de shǎo liàng yǎng qì guò huó   tiān qì qíng
空气中的少量氧气过活。天气晴

朗时，水中溶解的氧气就多，泥鳅便安静地卧在水底；而快下雨时，水中溶解的氧气就少，泥鳅就要浮到水面来吸氧，而雨越大，泥鳅就浮得越高。人们就是通过这样的变化来预测天气的阴晴。

wǒ men jīng cháng néng zài jí shì shang mǎi dào huó
我们经常能在集市上买到活

bèng luàn tiào de dàn shuǐ yú　wèi shén me cóng lái jiù mǎi bu
蹦乱跳的淡水鱼，为什么从来就买不

dào huó de hǎi yú ne
到活的海鱼呢?

　hǎi yú hé dàn shuǐ yú bù tóng　hǎi shuǐ li hán yǒu yán
海鱼和淡水鱼不同，海水里含有盐

fèn　shuǐ de yā lì dà　cháng qī shēng huó zài hǎi li de yú yǐ
分，水的压力大，长期生活在海里的鱼已

jīng xí guàn le zhè yàng de huán jìng　suǒ yǐ　tā men bèi dǎ
经习惯了这样的环境。所以，它们被打

lāo shang lai yǐ hòu bù néng xī shōu shuǐ zhōng de yǎng qì
捞 上 来以后，不能吸收水 中 的氧气，

shēn tǐ li de yú biào yīn wèi yā lì jiàng dī jiù huì bào liè
身 体里的鱼鳔因为压力降 低就会爆裂 ，

yú yīn ér sǐ qu
鱼因而死去。

suǒ yǐ shì chǎng shang wǒ men shì mǎi bu dào huó de
所以，市 场 上 我们是买不到活的

hǎi shuǐ yú de
海水鱼的。

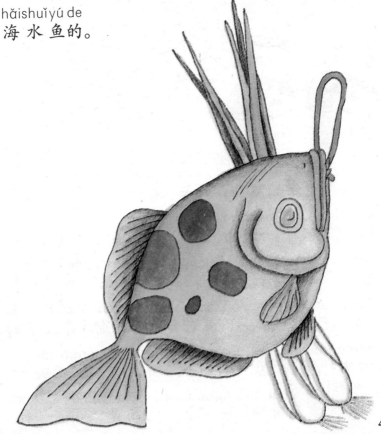

43

为什么说珊瑚是动物

在大海的下面，长着许多各种颜色的珊瑚，有红的、白的、黄的，还有蓝的。它们有的长得像松树，有的长得像花，非常好看，真的很像海底下的树呢！那么，为什么说珊瑚是动物呢?

其实，珊瑚并不是树，而是海底一种

jiào shān hú chóng de dòng wù de gǔ gé yóu yú shān hú
叫 珊 瑚 虫 的 动 物 的 骨 骼。 由于 珊 瑚

chóng gǔ gé duī jǐ zài yì qǐ tā men hù xiāng lián jié yīn
虫 骨 骼 堆 积 在 一 起，它 们 互 相 连 结，因

cǐ tā de xíng zhuàng hěn xiàng shù
此它 的 形 状 很 像 树。

shān hú chóng bì xū zhǎng zài hǎi shuǐ
珊 瑚 虫 必 须 长 在 海 水

lǐ rú guǒ gāo chū hǎi miàn lí kāi
里，如 果 高 出 海 面，离 开

shuǐ tā jiù huì sǐ de
水 它 就 会 死 的。

为什么鸡吃小石子

gěi jī wèishíshí huì fā xiàn tā menchīzhechīzhe tū
给鸡喂食时，会发现它们吃着吃着，突

rán huì qù chī xiǎo shí zi shā lì huòméihuī děngdōng xi
然会去吃小石子、砂粒或煤灰等东西。

wèishénmeyǒuhǎohāode dàogǔ màilì bù chī quèfēiyào
为什么有好好的稻谷、麦粒不吃，却非要

qù chīshí zi ne
去吃石子呢？

yuán lái jī méiyǒu yá chǐ bù néngjiáosuìshíwù zhǐ
原来，鸡没有牙齿，不能嚼碎食物，只

46

néng yī kào xiǎo shí zi   shā zi děng lái bāng zhe mó suì
能 依靠 小 石子、砂子 等 来 帮 着磨碎。

jī de shēn tǐ li yǒu yí gè xiǎo kǒu dai jiào zhūn   lǐ
鸡的 身 体里有 一个 小 口袋，叫 肫 ，里

miàn yǒu xǔ duō jī chī jin qu de xiǎo shí zi   jī chī de shí wù
面 有 许多 鸡吃进去 的 小石子。鸡吃的 食物

hé shí zi hùn zài yì qǐ   jiù bèi mó suì le   mó suì de shí wù jiù
和石子混 在 一起，就被磨碎了，磨碎的食物就

róng yì xiāo huà xī shōu le   suǒ yǐ jī chú le chī shí wù hái
容易消 化吸收了。 所以鸡除了吃食物，还

yào chī xiǎo shí zi
要吃小石子。

鸡和鸭有翅膀为什么都飞不高

niǎo er yǒu chì bǎng néng zài gāo kōng zhōng zì yóu fēi
鸟儿有翅膀 能在高空 中自由飞

xiáng nà jī hé yā yě yǒu chì bǎng wèi shén me què fēi bu
翔，那鸡和鸭也有翅膀，为什么却飞不

gāo ne
高呢？

hěn jiǔ hěn jiǔ yǐ qián dà sēn lín li zhù zhe bǐ xiàn zài
很久很久以前，大森林里住着比现在

de jī hé yā xiǎo yì diǎn de yě jī hé yě yā tā men zhǎng zhe
的鸡和鸭小一点的野鸡和野鸭，它们 长着

好看的羽毛，在大森林里自由地飞来飞去，寻找食物，后来，人们捉它们来吃，有时抓得太多了，就放在笼子里养起来。它们不能飞到森林里找东西吃了，慢慢地就习惯了靠人们喂养的生活。渐渐地，野鸡、野鸭就变成了肥胖的家鸡和家鸭，翅膀也退化了，所以飞不高了。

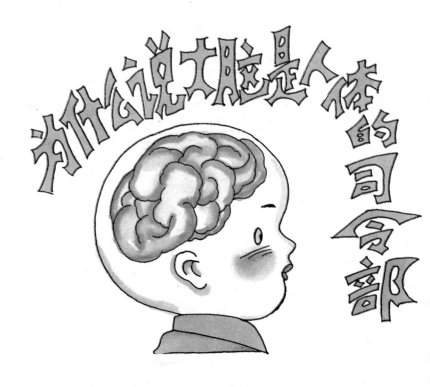

为什么说大脑是人体的司令部

kē xué jiā bǎ wǒ men de dà nǎo bǐ yù wéi rén tǐ sī lìng
科学家把我们的大脑比喻为人体司令

bù zhè shì yīn wèi zài dà nǎo zhōng yǒu shǔ bu qīng de shén
部，这是因为在大脑 中，有数不清的神

jīng xì bāo tā men fù zé jiē shòu xìn xī fā bù mìng lìng zhǐ
经细胞，它们负责接受信息，发布命令，指

huī quán shēn gè gè bù fen de huó dòng zhè xiē shén jīng xì
挥全身各个部分的活动。这些神经细

50

bāo，tā men hù xiāng zhī jiān yòu yǒu fēn gōng，yǒu de fù zé
胞，它们互相之间又有分工，有的负责

jiē shòu shēng yīn，yǒu de fù zé jī ròu yùn dòng，yǒu de fù
接受声音，有的负责肌肉运动，有的负

zé jì yì。bǐ rú，yǒu rén qiāo mén，ěr duo tīng dào le，jiù
责记忆。比如，有人敲门，耳朵听到了，就

xiàng dà nǎo huì bào："yǒu rén qiāo mén。"zhè shí fù zé jiē
向大脑汇报："有人敲门。"这时负责接

shòu shēng yīn de shén jīng xì bāo jiù gōng zuò qǐ lái，tā hái
受声音的神经细胞就工作起来，它还

bǎ zhè yí xìn xī chuán gěi bié de shén jīng xì bāo，yú shì dà
把这一信息传给别的神经细胞，于是大

nǎo jiù huì fā chū "qù
脑就会发出"去

kāi mén"de mìng lìng。
开门"的命令。

dà nǎo jiù shì zhè yàng
大脑就是这样

zhǐ huī rén tǐ xǔ duō qì
指挥人体许多器

guān jìn xíng gōng zuò
官进行工作

de。
的。

为什么有的人高有的人矮

wèi shén me yǒu de rén zhǎng de gāo yǒu de rén zhǎng
为 什 么 有 的 人 长 得 高 ,有 的 人 长

de ǎi yuán yīn shì hěn duō de zhǔ yào jué dìng yú yí
得 矮? 原 因 是 很 多 的 ,主 要 决 定 于 遗

chuán yíng yǎng hé tǐ yù duàn liàn rú guǒ fù mǔ qīn de
传 、营 养 和 体 育 锻 炼。如 果 父 母 亲 的

gè zi gāo hái zi de gè zi wǎng wǎng jiù gāo fù mǔ qīn de
个 子 高 ,孩 子 的 个 子 往 往 就 高 ,父 母 亲 的

个子矮，孩子的个子往往就矮。但是，如果你从小就加强营养，又能积极参加体育锻炼，那么即使你的父母亲个子比较矮，你的个子也会长得高些。睡眠对身体高矮也有一些影响，睡得好，孩子就会长得高一些，因为儿童在睡着时的生长速度比醒着时要快许多。另外，男人一般要比女人高。

人为什么打呵欠

zhěng gè rén tǐ jiù xiàng yì tái fēi cháng jīng mì de jī
整个人体就像一台非常精密的机
qì tā zhī dao shén me shí hou gāi gàn shén me shén me shí
器，它知道什么时候该干什么，什么时
hou bù gāi gàn shén me dāng rén men jīng guò cháng shí jiān
候不该干什么。当人们经过长时间
de gōng zuò huò xué xí fēi cháng pí láo jiù huì dǎ hē qiàn
的工作或学习，非常疲劳，就会打呵欠。
tā tí xǐng rén men gāi xiū xi le
它提醒人们，该休息了。

rén men gōng zuò shí jiān cháng le shēn tǐ li chǎn
人们工作时间长了，身体里产

生的二氧化碳多了，需要及时呼出去。

打呵欠是一种深呼吸动作，能吸进许多对人体有用的氧气，再排出大量有害的二氧化碳，减轻疲劳。所以说，打呵欠是人体自我保护的一种方式。

人的身体里有多少血液

我们身体里有许多许多血管，它们就像河流一样布满全身。血液就像在这些河流中流动着的河水，它们把我们所需要的养料和氧气带给身体里各个部分，又把我们身体里的废物带到一些地方，排出身体外。那么，我们身体里有多少血液？这得看各人的体重。科学家们说，每千克体重有80毫升血。也就是说，假如一个小朋友有25千克重，那么他全身的血液就有 ~~400~~ 2000 毫升。

在人的身体里，有许多血液。在血液王国里，有着三个兄弟，老大叫红细胞，它是个运输员，专门负责运输氧气和二氧化碳；老二叫白细胞，它是负责保卫工作的，一遇到有病菌侵略，它就会从四面八方赶来，与病菌作斗争，直到把侵略者消灭；老三叫血小板，它是抢堵伤口

的止血工兵，当身体某一地方受伤出血了，血小板就会很快拥向伤口，使伤口的血液凝固不再出血。

为什么小孩子的心脏跳得比大人快

měi gè rén xīn zàng tiào de kuài hái shì tiào de màn   bù
每个人心脏跳得快还是跳得慢，不

wán quán yí yàng   tōng cháng   xiǎo hái zi de xīn tiào yào
完全一样。通常，小孩子的心跳要

bǐ dà ren kuài   zhè shì wèi shén me ne
比大人快，这是为什么呢？

xiǎo hái de shēn tǐ zhèng chǔ zài shēng zhǎng fā yù shí
小孩的身体正处在生长发育时

qī   xū yào hěn duō yǎng qì hé yíng yǎng   xū yào de duō
期，需要很多氧气和营养。需要的多，

排出的废物也多。这样，就需要心脏 快
些跳动，好让血液流快些，把更多的
氧气和身体需要的养料带进来，把没有
用的废物快些运出体外。此外，小孩总
在不停地活动，他们的运动量比大人
大，消耗的热量也多，这也会使心脏跳得
快。

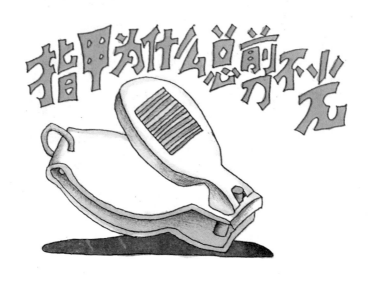

指甲为什么总剪不光

xiǎo péng yǒu cháng cháng ràng mā ma jiǎn zhī jiā kě
小 朋 友 常 常 让 妈 妈 剪 指 甲,可

guò bù duō jiǔ zhī jiā jiù yòu zhǎng chu lai le wèi shén me
过 不 多 久,指 甲 就 又 长 出 来 了。为 什 么

zhī jiā zǒng yě jiǎn bu guāng ne
指 甲 总 也 剪 不 光 呢?

yuán lái zhī jiā shì yóu yì zhǒng yìng jiǎo dàn bái zǔ
原 来,指 甲 是 由 一 种 硬 角 蛋 白 组

chéng de shì cóng biǎo pí xì bāo yǎn biàn chu lai de biǎo
成 的,是 从 表 皮 细 胞 演 变 出 来 的。表

pí xì bāo cóng chū shēng yì zhí dào sǐ bú duàn zài yì céng yì
皮 细 胞 从 出 生 一 直 到 死 不 断 在 一 层 一

céng de xīn chén dài xiè xīn de jiǎo dàn bái bú duàn chǎn
层地新陈代谢，新的角蛋白不断 产

shēng chu lai yīn cǐ zhǐ jia bú duàn shēng zhǎng
生 出来，因此指甲不断 生 长 。

zhǐ jia suī rán shēng zhǎng bù tíng dàn shēng zhǎng de
指甲虽然 生 长 不停，但生 长 的

sù dù què bù yí yàng zhè hé nián líng jiàn kāng jì jié yǒu
速度却不一样，这和年龄、健 康、季节有

hěn dà de guān xì
很大的 关 系。

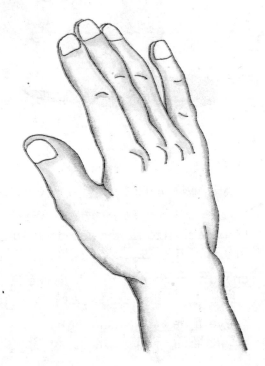

尿是从那里来的

zài wǒmen shēn tǐ li hòu yāo wèizhishang zhǎngzhe
在我们身体里后腰位置上，长着
liǎng gè shèn zàng rén de niào jiù shì zài shèn zàng li xíng
两个肾脏，人的尿就是在肾脏里形
chéng de dāng shēn tǐ li de xuè yè liú guo shèn zàng shí
成的。当身体里的血液流过肾脏时，
xuè yè li de yí bù fen shuǐfèn hé shēn tǐ chǎnshēng de yì xiē
血液里的一部分水分和身体产生的一些

废物、盐，由肾脏过滤后，再经过两条
又细又长的输尿管，流进膀胱，它是
盛尿的"尿库"。当尿把膀胱快
装满了的时候，人就会觉得尿急，憋不
住，这时大脑司令部就会下命令，让我
们撒尿了。

人生病时为什么会发烧

dāng xì jūn hé bìng dú jìn rù rén shēn tǐ hòu jiù huì
当 细菌和病 毒进入人 身 体后 ,就会

fàng chu yì xiē yǒu dú wù zhì shǐ rén gǎn dào hěn bù shū fu
放 出一些有毒物质 ,使人 感 到 很不舒服,

tóng shí cì jī shēn tǐ li guǎn tiáo jié tǐ wēn de shén jīng yǐn
同 时刺激身 体里管 调节体温的神 经,引

qǐ fā shāo
起发 烧 。

zài fā shāo shí rén shēn tǐ li shēng chéng xǔ duō dǐ
在发 烧 时 ,人身 体里生 成 许 多抵

抗细菌和病毒的物质，它们就好像听到命令的士兵一样，向那些侵犯我们身体的坏蛋发起进攻，直到把它们消灭为止。所以说，发烧也是我们身体的一种自我保护能力，并不是一件坏事。

为什么爷爷奶奶的脸上有皱纹

rén de pí fū xià mian yǒu xǔ duō zhī fáng hé pí xià zǔ
人的皮肤下面有许多脂肪和皮下组

zhī nián qīng de shí hou zhè xiē dōng xi zài pí fū xià tián de
织，年轻的时候，这些东西在皮肤下填得

mǎn mǎn de bǎ pí fū bēng de jǐn jǐn de suǒ yǐ nián qīng rén
满满的，把皮肤绷得紧紧的，所以年轻人

de liǎn shang hé shēn tǐ qí tā bù wèi de pí fū kàn shang
的脸上和身体其他部位的皮肤，看上

qu dōu shì jì guāng huá yòu píng tǎn dāng rén nián jì dà le
去都是既光滑又平坦。当人年纪大了

后，皮下的脂肪逐渐减少，皮下组织也逐渐萎缩，皮肤就撑不起来了，原来光滑平坦的皮肤就会变松。这样，皮肤上就会出现许多皱褶。所以，爷爷奶奶脸上就出现了皱纹。

冷的时候为什么会起鸡皮疙瘩

dōng tiān dào hù wài qù　rén men jīng cháng huì jīn bu
冬天到户外去,人们经常会禁不
zhù lěng de fā dǒu　zhè shí　zǐ xì kàn yi kàn shǒu bì　nǐ
住冷得发抖。这时,仔细看一看手臂,你
huì fā xiàn hàn máo shù lì qǐ lai　pí fū shang qǐ le yí lì yí
会发现汗毛竖立起来,皮肤上起了一粒一
lì de xiǎo dōng xi
粒的小东西。

寒冷的时候为什么有这种现象发生呢?

因为人体有自我调节功能,为了减少身体热量的散发,皮肤的表面会收缩,以减少和空气接触的面积。当皮肤缩小面积的时候,上面的汗毛就会竖起来,而且会把附近的肌肉拉紧,这样皮肤的表面就会起许多鸡皮疙瘩。

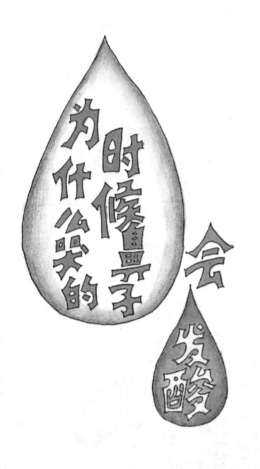

为什么哭的时候鼻子会发酸

rén kū de shí
人哭的时

hou yǎn lèi bí tì
候，眼泪、鼻涕

huì liú chu lai tóng
会流出来，同

shí hái huì gǎn dào
时 还会感到

bí zi suān liū liū de
鼻子 酸 溜溜的。

rén de yǎn jing li yǒu yí gè bí lèi guǎn néng shǐ yí bù
人的眼睛里有一个鼻泪管，能使一部

fen de yǎn lèi tōng guò tā liú dào bí zi li píng shí bí zi li
分的眼泪通过它流到鼻子里。平时鼻子里

kōng qì jìn jin chū chū de jìn qù yì diǎn yǎn lèi shì gǎn jué bu
空气进进出出的，进去一点眼泪是感觉不

chū lái de　　dàn shì rén yì bēi shāng　yì kū　jiù chū lai hǎo
出来的。但是人一悲伤，一哭，就出来好

duō yǎn lèi　dà liàng de yǎn lèi liú dào bí zi li　shǐ bí zi
多眼泪，大量的眼泪流到鼻子里，使鼻子

shòu dào qiáng liè cì jī　jiù chǎn shēng le fā suān de gǎn
受到强烈刺激，就产生了发酸的感

jué
觉。

为什么感冒时鼻子会不通气

bí zi shì yòng lai hū xī de píng shí kōng qì zài bí
鼻子是用来呼吸的，平时，空气在鼻
qiāng li jìn jin chū chū chàng tōng wú zǔ kě shì gǎn mào
腔里进进出出，畅通无阻。可是感冒
shí bí zi jiù bù tōng qì le zhè shì wèi shén me yuán lái
时，鼻子就不通气了，这是为什么？原来，
bí qiāng sì zhōu yǒu yì céng hěn báo de nián mó rú guǒ nǐ
鼻腔四周有一层很薄的粘膜，如果你
bù xiǎo xīn dé le gǎn mào xì jūn hé bìng dú zhè xiē huài dàn
不小心得了感冒，细菌和病毒这些坏蛋

就会在鼻子里捣乱，使粘膜发炎充血、肿胀，薄薄的粘膜变厚了，鼻腔就变得窄小了。而且感冒时，鼻子还会流出许多粘液，就是鼻涕。这样一来，空气进出鼻腔就受到阻碍，所以，你就会感到鼻子不通气了。

年纪大了头发为什么变白

wǒmen de tóu fa shì yóu xì bāo zhǎng chéng de　ér tóu
我们的头发是由细胞长成的,而头

fa de yán sè shì yóu yì zhǒng jiào hēi sè sù de dōng xi jué dìng
发的颜色是由一种叫黑色素的东西决定

de　zhè zhǒng hēi sè sù wù zhì shì yóu tóu fa gēn bù de xì bāo
的,这种黑色素物质是由头发根部的细胞

zào chu lai de　　dāng wǒmen nián qīng de shí hou　tóu fa zài
造出来的。当我们年轻的时候,头发在

bú duàn shēng zhǎng　tóu fa gēn bù de xì bāo yě jiù bú duàn
不断生长,头发根部的细胞也就不断

zàochū hēi sè sù lai suǒ yǐ tóu fa
造出黑色素来，所以头发

kàn shang qu zǒng shì yòu hēi yòu
看上去总是又黑又

liàng dāng yí gè rén nián jì dà
亮。当一个人年纪大

le tā shēn tǐ li gè bù fen de xì
了，他身体里各部分的细

bāo shēng zhǎng dōu màn le tóu
胞生长都慢了，头

fa yě zhǎng de màn le hēi sè sù
发也长得慢了，黑色素

shēngchéng de yě shǎo le tóu fa
生成得也少了，头发

yě jiù mànman de biànbái le
也就慢慢地变白了。

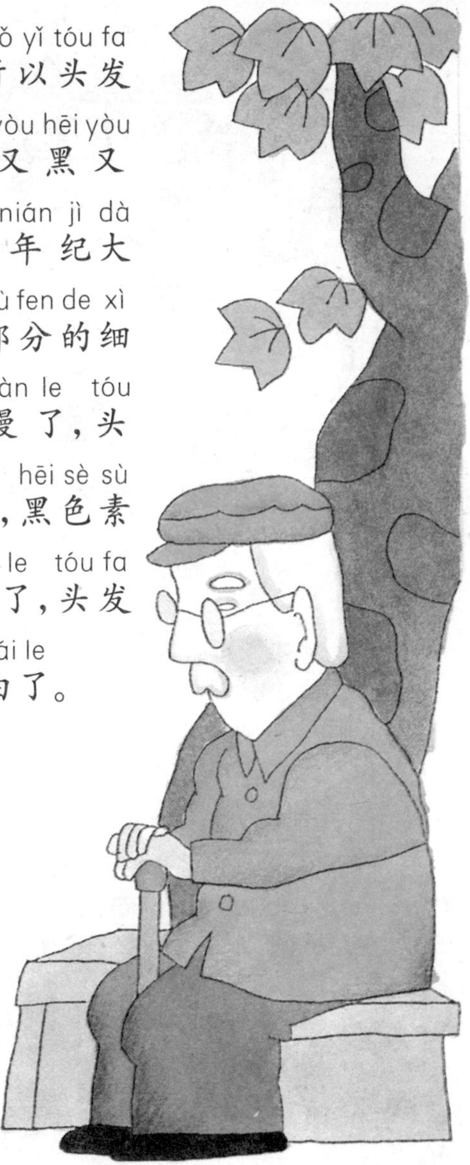

嘴唇为什么是红色的

脸部是人体很重要的部分，凡是身体重要的部位，都聚集着很多的血管。

脸部的血管内有很多血液在流动，这是为了帮助脸部发挥它的作用。

脸部当中，嘴唇的感觉最灵敏，也

最柔软，所以，有更多的血管 通到这里来。嘴唇的外皮很薄，又没有颜色，外皮下流动 的血就会透出来，让我们看得很清楚。因此，嘴唇是红颜色的。

嘴唇 红的人，就表示这个人身体很健康。

人体是对称的吗

cóng wài xíng shang kàn　wǒmen de shēn tǐ hǎo xiàng
从 外 形 上 看, 我们 的 身 体 好 像

shì duì chèn de　bǐ rú　zuǒbian yì zhī shǒu　yòubian yě yǒu
是 对 称 的, 比如, 左 边 一 只 手, 右 边 也 有

yì zhī shǒu　zuǒbian yì zhī ěr duo　yòubian yě yǒu yì zhī ěr
一 只 手; 左 边 一 只 耳 朵, 右 边 也 有 一 只 耳

duo　dàn shì nǐ rú guǒ zǐ xì kànkan　jiù huì fā jué　shí jì
朵。 但是 你 如 果 仔 细 看看, 就 会 发 觉, 实 际

shang wǒmen shēn tǐ bìng bú duì chèn　　jiù ná zuǒ yòu shǒu
上 我 们 身 体 并 不 对 称。 就 拿 左 右 手

lái shuō　liǎng zhī shǒu cū xì bìng bù yí yàng　rén de liǎng
来 说, 两 只 手 粗 细 并 不 一 样; 人 的 两

zhī yǎn jing wǎng wǎng yì zhī dà yì zhī xiǎo liǎng gè jiān yě
只眼睛 往 往 一只大,一只小;两个肩也

shì yí gè gāo yí gè dī rén de xīn zàng piān xiàng zuǒ miàn
是一个高一个低;人的心脏偏向左面,

ér gān zàng zài yòu bian suǒ yǐ shuō rén tǐ shì bú duì chèn
而肝脏在右边。所以说,人体是不对称

de
的。

zhǐ yǒu zhuā jiǎo dǐ cái huì yǎng ma
只有 抓 脚底才会 痒 吗?

qí shí bié ren rú guǒ zhuā zhua nǐ de gā zhi wō hé dù zi
其实,别人如果 抓 抓你的胳肢窝和肚子

fù jìn yě huì yǎng nà shì yīn wèi yǒu yì zhǒng jiào
附近,也会 痒 ,那是因为,有一 种 叫

shén jīng de dōng xi duǒ zài nà xiē dì fang
神经的 东 西躲在那些地方。

wǒ men de shēn tǐ wài biǎo yǒu yì
我们的身体外表有一

céng pí fū pí fū lǐ miàn yǒu huì gǎn jué
层皮肤,皮肤里 面,有会 感觉

痛和冷的神经。在这些神经里,有的也会感觉到痒。这些神经躲在肚子附近、脚底和胳肢窝,所以当我们抓这些地方的时候会觉得痒。

耳朵进了水怎么办

如果游泳时，或者洗头洗澡时，耳朵
里进了水，千万不要着急。你可以先歪
着头，让有水的那只耳朵朝下，然后让
同一边的腿站着，抬起另一条腿，就这
样跳几下。一会儿，你会感到耳朵里一热，
水就流出来了。也可以让爸爸妈妈，用牙

84

签包上一层棉花，然后伸进耳朵里，这样耳朵里的水就会吸到棉花上。记住，千万不要自己掏耳朵，也不要叫小朋友帮自己掏。

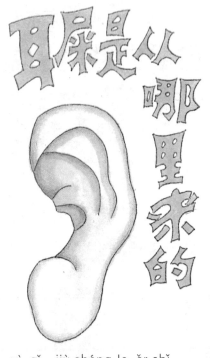

耳屎是从哪里来的

rén de ěr duo li huì
人的耳朵里会
chǎn shēng yì zhǒng yóu
产生一种油
nì nì de dōng xi tā gēn
腻腻的东西,它跟
huī chén hé pí xiè hùn zài
灰尘和皮屑混在
yì qǐ jiù chéng le ěr shǐ
一起,就成了耳屎。

ěr shǐ duì ěr duo yǒu bǎo hù zuò yòng   tā de wèi dao
耳屎对耳朵有保护作用。它的味道
hěn kǔ   yòu shì yóu nì nì de   rú guǒ yǒu xiǎo chóng zuān jìn
很苦,又是油腻腻的,如果有小 虫 钻进
ěr duo cháng dào kǔ wèi jiù huì tuì chu lai   rú guǒ yǒu huī
耳朵, 尝 到苦味,就会退出来。如果有灰
chén chuī jìn ěr duo jiù huì bèi yóu nì nì de dōng xi zhān
尘 吹进耳朵,就会被油腻腻的东西粘

住。有些小朋友喜欢挖耳屎，这就等于开了大门，让小虫、灰尘这些"强盗"很容易地进入耳朵里。而且，挖耳屎时很容易损伤耳道，引起发炎。万一不小心，戳破鼓膜，就会引起听力减退，变成聋子。

如果你尝过泪水，你就会知道，泪水是咸的。为什么眼泪是咸的？泪水里有盐呗。

科学家通过研究，发现在人的泪水中，有0.6%的盐分，这些盐分是从哪里来的？原来，我们身体的许多地方都有盐，血液中有盐，汗水中有盐，尿中也有盐。这些盐都是从

wǒmen chī xia qu de shíwù zhōng dé dào de　yǎn lèi li de
我们吃下去的食物 中 得到的。眼泪里的

yán yǒu shājūn zuòyòng néng fángzhǐ nàxiē duǒ zài yǎnjing
盐，有杀菌作用，能 防止那些躲在眼睛

li de xì jūn gàn huài shì
里的细菌干坏事。

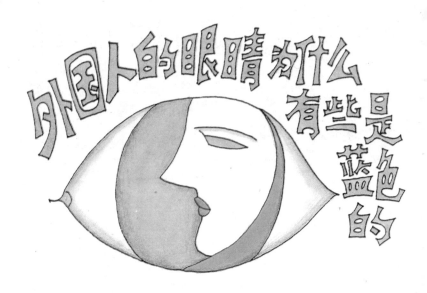

外国人的眼睛为什么有些是蓝色的

你仔细看过外国人的眼睛吗？有些是蓝色的，有些是褐色的。

无论什么人，瞳孔都是黑的。只是瞳孔周围有很多皱纹的膜，才会显出蓝色或褐色。这个膜，叫做"虹膜"。

为什么外国人眼睛的颜色跟中国

^{rén bù yí yàng ne}
人不一样 呢?

　　^{nà shì yīn wèi rén de shēn tǐ nèi sè sù de yuán gù}
　　那是因为人的身体内"色素"的 缘 故。

^{rú guǒ rén tǐ nèi de sè sù duō hóng mó jiù huì biàn hēi}
如果人体内的色素多,"虹 膜"就会变黑,

^{xiāng fǎn de tǐ nèi sè sù shǎo hóng mó jiù huì biàn lán}
相 反地,体内色素少,"虹 膜"就会变蓝。

^{kě jiàn lán yǎn jing wài guó rén tǐ nèi de sè sù bǐ jiào shǎo}
可见蓝眼睛外 国人体内的色素比较 少。

91

为什么眼球不怕冷

bù guǎn tiān qì zěn me lěng　yǎn qiú yě bú huì jué de
不 管 天 气 怎 么 冷 ，眼 球 也 不 会 觉 得

lěng　　zhè shì yīn wèi　jǐn guǎn zá men de yǎn qiú shang yǒu
冷 。 这 是 因 为 ，尽 管 咱 们 的 眼 球 上 有

hǎo duō shén jīng　dàn zhè xiē shén jīng zhǐ guǎn chù jué hé
好 多 神 经 ，但 这 些 神 经 只 管 触 觉 和

tòng jué　què méi yǒu zhǎng guǎn lěng nuǎn gǎn jué de běn
痛 觉 ，却 没 有 掌 管 冷 暖 感 觉 的 本

lǐng　　hái yǒu　yǎn qiú qián mian yǒu yì céng jiǎo mó　tā bù
领 。 还 有 ，眼 球 前 面 有 一 层 角 膜 ，它 不

hán xuè guǎn　sàn shī rè liàng jiào shǎo jiào màn　yǎn qiú
含 血 管 ，散 失 热 量 较 少 较 慢 。 眼 球

qián biān hái yǒu róu ruǎn de yǎn pí　tā jiù xiàng shàn dà mén
前 边 还 有 柔 软 的 眼 皮,它 就 像 扇 大 门

yí yàng　néng dǎng zhù wài mian de hán fēng　shǐ yǎn qiú bǎo
一 样 , 能 挡 住 外 面 的 寒 风,使 眼 球 保

chí yí dìng de wēn dù
持 一 定 的 温 度。

hé yǎn qiú bù yí yàng　bí jiān　ěr duo　shǒu zhǐ jiān
和 眼 球 不 一 样 ,鼻 尖、耳 朵、手 指 尖、

jiǎo zhǐ jiān děng chù de máo xì xuè guǎn fēi cháng duō　yù
脚 趾 尖 等 处 的 毛 细 血 管 非 常 多, 遇

lěng sàn rè kuài　suǒ yǐ zhè xiē bù wèi jiù tè bié pà lěng
冷 散 热 快,所 以 这 些 部 位 就 特 别 怕 冷。

眼睛里迷了灰沙怎么办

sú huà shuō 俗话 说： yǎn jing li shì róu bu de shā zi de 眼 睛 里 是 揉 不 得 沙 子 的。 yì 一

diǎn diǎn huī chén chuī jìn yǎn jing 点 点 灰 尘 吹 进 眼 睛， jiù huì hěn nán guò 就 会 很 难 过， zhè 这

shí xiǎo péng yǒu cháng huì yòng shǒu qù róu yǎn jing 时， 小 朋 友 常 会 用 手 去 揉 眼 睛， zhè kě 这 可

bù hǎo 不 好。 wǒ men de yǎn qiú shì hěn jiāo nèn de 我 们 的 眼 球 是 很 娇 嫩 的， hěn mìng de 狠 命 地

róu yǎn jing 揉 眼 睛， nà huì bǎ yǎn qiú mó huài de 那 会 把 眼 球 磨 坏 的。 zài shuō 再 说， shǒu shì 手 是

hěn zāng de 很 脏 的， shàng mian yǒu hǎo duō hǎo duō xì jūn 上 面 有 好 多 好 多 细 菌， róu yǎn 揉 眼

94

睛时，手会把细菌带进眼睛里，使眼睛得
病。

　　如果灰沙吹进眼睛，最好的办法是，
先让眼睛闭一会儿，这时眼睛里会流出许
多眼泪，小的灰沙就会被冲出来。也可
以用干净的手把眼皮翻起来，用干净的
布把灰沙轻轻擦去。

95

爸爸的脸上有胡子，男孩子长大后
也会长出胡子吗？其实，胡子和头发一样
都是人身上长出的毛，毛是从毛
根长出来的。胡子的根，人小时候就已
经有了，男孩子长大以后，身体里面就
会生出可以让胡子长出来的激素，叫

做"男性荷尔蒙"。

"男性荷尔

蒙"会一直对胡

子的根这样

说："快点

长出来吧！

快生胡子吧！"它供给胡子很多营养。

有些男孩在上中学时，就已经

开始长胡子了。

为什么藕有许多小洞洞

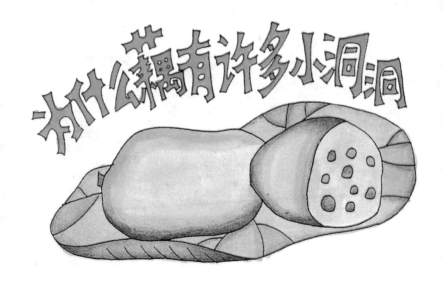

小朋友你闭上嘴，捏住鼻子，一会儿就会感到憋得慌。如果时间久了，还会有生命危险，这是因为人呼吸才能生存。植物也跟我们人类一样，能呼吸才能长大。人呼吸用鼻子和嘴，植物呼吸靠叶子上的气孔。

藕有一种特殊的本领，它在自己的肚子上长出许多小洞，这些小洞，跟荷叶梗连在一起，荷叶梗中间是空的，长长的管儿一直通到荷叶里头。荷叶上又有许多气孔，这些气孔就像小朋友的鼻子、嘴一样，通过荷叶的气孔、荷叶梗和藕的小洞洞呼吸，慢慢地藕就会长大。

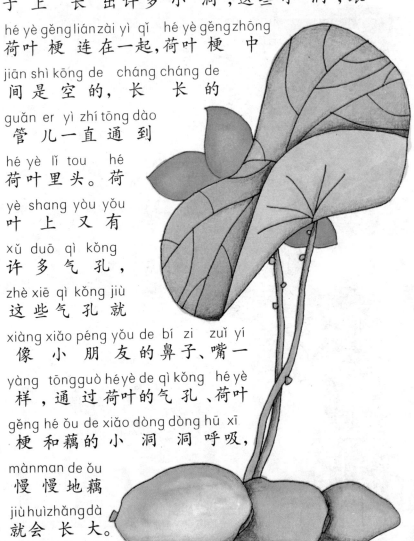

天气渐渐地冷了，大树上的叶子由绿变黄，被冷风一吹都飘落下来，一棵棵漂亮的树，变成光秃秃的了。这么冷的天，树叶都落下来，那树怎样过冬呢？

为什么，天冷的时候会掉树叶

其实，大树正是准备过冬才把叶子落掉的。因为冬天很干燥，树根喝不到像夏天那么多的雨水。叶子又会把水分散发掉，树根就会因为缺水而枯死。只有把叶子落掉，才能保住水分，使大树安全过冬。

花的香味从哪里发出的

huā fā chū xiāng wèi shì wèi le xī yǐn kūn chóng ràng
花发出香味是为了吸引昆虫，让

tā men bāng zhù shòu fěn jiē chū zhǒng zi
它们帮助授粉结出种子。

rú guǒ kūn chóng bù lái zhǎo huā huā jiù wú fǎ zhǎng
如果昆虫不来找花，花就无法长

chū zhǒng zi le
出种子了。

gè zhǒng kūn chóng xǐ huan de xiāng wèi bú tài yí
各种昆虫喜欢的香味不太一

yàng wèi le xī yǐn zì jǐ suǒ xǐ huan de kūn chóng huā fā
样，为了吸引自己所喜欢的昆虫，花发

chū de xiāng wèi yě gè bù xiāng tóng
出的香味也各不相同。

yǒu xiē huā de wèi dao fāng xiāng pū bí
有些花的味道芳香扑鼻，

ér yǒu xiē huā de wèi
而有些花的味

dao wén qi lai
道闻起来

què lìng rén
却令人

shòu bu liǎo
受不了。

kě shì duì yú kūn chóng lái shuō
可是对于昆虫来说，

yě xǔ rén lèi shòu bu liǎo de qì wèi què
也许人类受不了的气味，却

gāng hǎo shì hé tā huā de xiāng
刚好适合它。花的香

qì duō bàn shì cóng huā de nèi bù
气多半是从花的内部

huā ruǐ fā chu lai de
——"花蕊"发出来的，

dàn shì yǒu xiē huā de qì wèi què
但是，有些花的气味却

shì cóng huā bàn fā chū de yǒu
是从花瓣发出的，有

xiē huā zhěng duǒ dōu dài xiāng
些花整朵都带香

qì yǒu xiē shèn zhì yè zi jīng
气，有些甚至叶子、茎

dōu huì fā chū xiāng qì lai
都会发出香气来。

为什么不要烧树叶

qiūtiān lái le   shùshang de yè zi kū huáng le   fēng yì
秋 天 来 了, 树 上 的 叶子枯 黄 了, 风 一
chuī diào zài dì shang   yǒu xiē rén bǎ tā sǎo qi lai   duī zài
吹 , 掉 在 地 上 。 有 些 人 把 它 扫 起 来, 堆 在
yì qǐ diǎn huǒ shāo diào   rèn wéi zhè yàng yǒu lì huán jìng
一 起, 点 火 烧 掉, 认 为 这 样 有 利 环 境
wèishēng   qí shí   zhè zhǒng zuò fǎ shì bú duì de
卫 生 。 其实, 这 种 做 法 是 不 对 的。

落叶在燃烧时,会产生对人体有害的气体,如:一氧化碳、二氧化碳,还有许多灰尘。空气中这些东西多了,被人吸进肺里,人就会感到头晕,严重的还会恶心,引起疾病。所以,为了保证有清新、干净的空气,大家不要烧落叶。

为什么不能乱踏草坪

不许
乱踏草坪

xiǎopéng yǒu bà ba māma jīngcháng dài nǐ qù gōng
小 朋 友,爸爸、妈妈经 常 带你去公

yuán wán ba gōng yuán li dōu yǒu cǎopíng yì bān yòng
园 玩吧。公 园里都有草坪,一般 用

lángān wéizhe lǐ miàn yǒu gè pái shàngmian xiězhe bù
栏杆围着,里面 有个牌,上 面写着:不

xǔ luàn tà cǎopíng
许乱踏草坪。

gōng yuán li de cǎo píng lǜ lǜ de xiàng tǎn zi yì
公 园里的草坪绿绿的, 像 毯子一

yàng tā bù jǐn qǐ zhe měi huà chéng shì de zuò yòng hái
样 ,它不仅起着美化 城 市的作用, 还

néng jìng huà kōng qì
能 净 化 空 气。

yóu yú wǒ guó chéng shì de rén kǒu duō lǜ dì shǎo zāi
由于我国 城 市的人口多,绿地少,栽

zhí cǎo píng de miàn jī hěn shǎo rú guǒ xǔ duō rén luàn cǎi
植草坪的面积很少。如果许多人乱踩

luàn yā tā men jiù shēng zhǎng bu hǎo shèn zhì huì sǐ diào
乱压,它们就 生 长 不好甚至会死掉。

suǒ yǐ xiǎo péng yǒu bú yào suí yì cǎi cǎo píng zhè yàng wǒ
所以小 朋 友不要随意踩草坪,这 样, 我

men zhōu wéi de huán jìng jiù huì gèng jiā qīng jié měi lì
们 周 围 的 环 境 就 会 更 加 清 洁 美 丽。

树木为什么能知天上事

rén měi guò yì nián jiù zhǎng yí suì   zhè jiào nián líng
人 每 过 一 年 就 长 一 岁，这 叫 年 龄。

shù mù měi guò yì nián zhǎng cū yì quān   tā jiào nián lún
树 木 每 过 一 年 长 粗 一 圈，它 叫 年 轮。

shǔ shu shù mù duàn miàn de huán xíng yǒu jǐ quān   jiù néng
数 数 树 木 断 面 的 环 形 有 几 圈，就 能

zhī dao zhè kē shù yǒu jǐ suì le
知 道 这 棵 树 有 几 岁 了。

nǐ zhù yì guān chá yí xià   nián lún de huán xíng quān
你 注 意 观 察 一 下：年 轮 的 环 形 圈

之间有的宽、有的窄,这是什么原因呢?

天文学家道格拉斯专门成立一个年轮实验室进行研究,终于发现它与太阳有关系。太阳里的黑子活动有11年的周期变化,树木生长速度也有11年的周期变化。树木的年轮,记录了太阳的活动规律,树木真能知天上事。

109

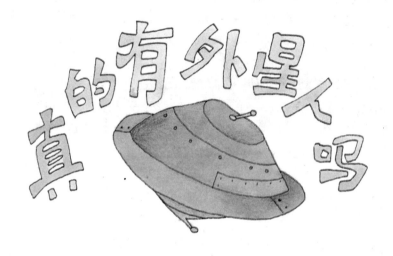

真的有外星人吗

我们人类居住的地球,是茫茫宇宙中的一个小星球。那么天上那么多的星星上有没有外星人呢?这个问题,目前还没有人知道。

如果太空中还有和地球自然环境一样的星球,也许有怪物似的外星人住在上面。

110

如果真的有外星人,他们住的星球一定离地球很远很远,而且,他们可能也在观察我们呢!

不过,因为和我们距离太远,所以,即使用望远镜,我们也看不见外星人。

星星为什么不会掉不来

yǒu yì zhǒng wǒmen kàn bu jiàn de lì
有一种我们看不见的力
liang shǐsuǒyǒu de xīngxing hùxiāng xī yǐn
量,使所有的星星互相吸引
zhe hǎoxiàng nǐ shēnshǒu lā zhù péngyou
着,好像你伸手拉住朋友
de shǒu nà yàng zhè jiù shì yǐn lì yǐn
的手那样,这就是"引力"。"引
lì de lì liangshífēnjūnyún de fēnbùzàiměi
力"的力量十分均匀地分布在每
yì kē xīngxingshēnshang
一颗星星身上。

yǒuxiēxīngxingshìràozhetàiyángxuán
有些星星是绕着太阳旋

112

转 的，它们被太阳的"引力"

拉着。就 像 我 们 提 一 只

装 满水的水桶快速旋

转 ，桶里的水不会泼出来一

样，不 断 绕 着 太 阳 旋

转 的星星不会从天上

掉 下来。

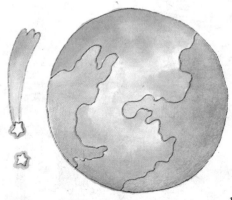

闪电为什么可以为人类服务

提起闪电，小朋友可能都很害怕，它总是让人想起划破天幕的刺目亮光、"轰隆隆"的震耳雷声。可是，你知道吗，随着科学技术的发展，我们还可以利用闪电为人类服务。

闪电在它"闪亮"的一瞬间,发出的电力可以把六七万千克重的货物举起两米多高;闪电还是一个天然氮肥制造厂,每打一次雷,都有大约一到两吨的氮素随雨滴落到地面,闪电还会使天空中出现"臭氧",这种气体能大量吸收太阳光中的紫外线,有利于人们的身体健康。

清明，是我国农历的一个重要节气，它表明天气正处在寒冬过去，春天来到的时候。冬天，来自北方的冷空气笼罩着我国南部地区，冷空气十分干燥，雨水稀少。当春天来到后，海洋上来的暖空气开始活跃，暖空

气和冷空气相遇在一起，就会形成阴雨连绵的天气。而清明前后，正好是冷空气和暖空气在南方相遇的时候，所以经常出现"雨纷纷"的天气。

117

為什么会下雨下雪呢

bǎ zhuāng shuǐ de chá hú guō yòng huǒ shāo rè hěn
把 装 水的茶壶、锅 用 火 烧热，很

kuài shuǐ huì biàn chéng yì gǔ bái yān bú duàn wàng
快水会变 成 一股"白烟"，不 断 往

shàng mào zhè gǔ bái yān jiù shì shuǐ zhēng qì
上 冒，这股"白烟"就是水 蒸 气。

dì miàn hé liú chí táng hǎi yáng zhōng de shuǐ shòu
地 面 、河流、池塘、海洋 中 的水，受

dào yáng guāng zhào shè yǐ hòu yě huì biàn chéng shuǐ
到 阳 光 照射以后，也会变 成 水

zhēng qì shēng shang tiān kōng yīn wèi tiān kōng hěn lěng
蒸 气升 上 天 空。因为天 空 很冷，

水蒸气遇到冷空气又会变成原来的水滴。细小的水滴越积越多,就变成云。云越变越大,因为太重了,便慢慢地下降。我们知道越高的地方,空气越冷,所以聚在那里的水滴会变成冰粒。冬天天气很冷,这些水滴变成的冰粒又会变成雪落到地面上。

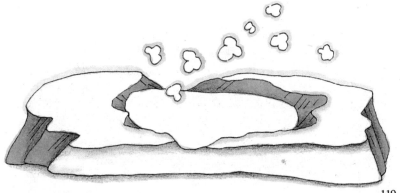

119

为什么刮大风时会呼呼作响

fēng chuī qǐ lai shí　rú guǒ pèng dào diàn xiàn　shù zhī
风 吹 起 来 时，如 果 碰 到 电 线、树 枝

děng hěn xì de dōng xi　jiù huì cóng zhōng jiān fēn kai lai
等 很 细 的 东 西，就 会 从 中 间 分 开 来，

biàn chéng yì biān xiàng zuǒ　yì biān xiàng yòu de xuàn
变 成 一 边 向 左、一 边 向 右 的 旋

fēng
风 。

　　zhè liǎng gè yǐ xiāng fǎn fāng xiàng xuán zhuǎn de
　　这 两 个 以 相 反 方 向 旋 转 的

风，像碰到墙壁的皮球那样，会被电线、树枝反弹回来，同时卷向后面，振动了它们周围的空气，就发出呼呼声，风越大，发出的声音也越大。

太阳为什么那么亮

tài yáng gěi dì qiú dài lai le wēn nuǎn　shǐ dì qiú shang
太 阳 给 地 球 带 来 了 温 暖 ,使 地 球 上

chōng mǎn le shēng jī　　yǒu le tài yáng　zhí wù cái néng
充 满 了 生 机。有 了 太 阳 ,植 物 才 能

shēng zhǎng　zhí wù yòu yǎng huó le dì qiú shang de dòng wù
生 长 ;植 物 又 养 活 了 地 球 上 的 动 物

hé rén lèi tài yáng yǐ jing zhào yào le jǐ shí yì nián le
和 人 类。太 阳 已 经 照 耀 了 几 十 亿 年 了!

原来，太阳是个气体大火球。它发热、发光，太阳上面好比有千千万万颗氢弹在爆炸，所以能发出这么亮的光，这么多的热。

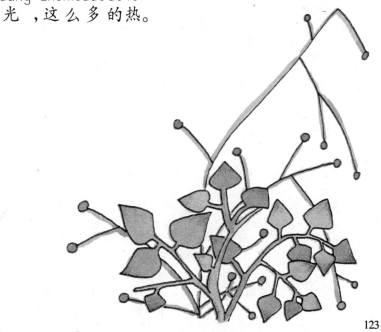

太阳离地球有多远

gǔ shí hou Dōng Jìn yǒu wèi huáng dì　　yì tiān tā xiǎng
古时候 东 晋有位 皇 帝,一天他 想

shì shi ér zi de zhì lì　biàn wèn ér zi　Cháng ān　Xī ān　lí
试试儿子的智力, 便 问 儿子:"长 安(西安)离

wǒ men yuǎn　hái shì tài yáng lí wǒ men yuǎn　ér zi
我们 远? 还是太 阳 离我们 远?"儿子

shuǎng kuai de huí dá　tài yáng yuǎn　zhǐ tīng shuō yǒu
爽 快地回答:"太 阳 远。只听 说有

rén cóng Cháng ān lái　cóng méi tīng shuō yǒu rén cóng tài
人 从 长安来, 从 没听 说有人 从太

yáng nà li lái　huáng dì dà xǐ　kě dì èr tiān yòng tóng
阳 那里来。"皇 帝大喜。可第二天 用 同

yàng wèn tí wèn ér zi　ér zi què shuō　Cháng ān yuǎn
样 问题问儿子,儿子却 说:" 长 安 远。

124

因为我抬头看得见太阳，却看不见 长

安呀！”

在科学不发达的时代是无法准确回答

这个问题的。现在我们知道，太阳离地球

有1.5亿千米，最快的飞机，要飞4年10个月

才能到达太阳；而火车要开85年呢！

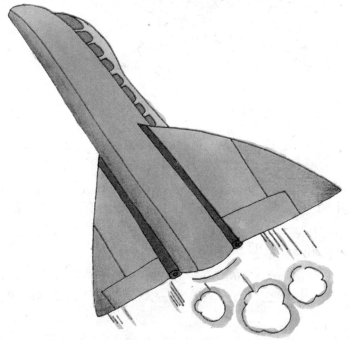

月亮上为什么不能住人

yè wǎn jiǎo jié de yuè liang gāo guà zài tiān kōng měi
夜晚，皎洁的月亮高挂在天空。美

lì de yuè liang shang wèi shén me jì méi yǒu rén yòu méi yǒu
丽的月亮上为什么既没有人又没有

dòng zhí wù ne
动植物呢？

yuè liang shang bái tiān hěn rè hěn rè bǐ shāo kāi de
月亮上，白天很热很热，比烧开的

126

水还热;而晚上又很冷,比最冷的冬
天还冷得多。白天能把人热死,夜晚又
会把人冻死,再加上月亮上没有空
气,没有水,因此,人到了月亮上没法
生活,动植物也无法生存。

宇航员坐宇宙飞船也只能在月
亮的表面停留很短的时间。现在你知
道月亮上为什么没有人了吧。

为什么星星会眨眼睛

xiǎopéngyǒu táitóu wàng yèkōng xīngxing dōu zài duì
小 朋 友 抬头 望 夜空 ，星星 都 在 对

wǒmen zhǎyǎnjing nándào xīngxing zhēn de yǒu yǎnjing
我 们 眨 眼睛 ，难道星星真的有眼睛？

búshì de xīngxing gēnběn méiyǒu yǎnjing yīncǐ yě búhuì
不是的，星星根本没有眼睛，因此也不会

zhǎyǎnjing
眨眼睛。

wǒmen jūzhù de dìqiú wàimian bāozhe hòuhòu de dà
我 们 居住 的 地球 外面包着厚厚的大

qìcéng lǐmiàn yǒu rèqì yě yǒu lěngqì rèqì búduàn
气层，里面有热气也有冷气，热气不断

128

上升，冷气不断下降，风吹来吹去，

使大气不停地翻腾，我们看星星要透过

这挡住星星的大气层。由于大气层不

停地晃动，从远处看星星，好像

星星在对我们眨眼睛。

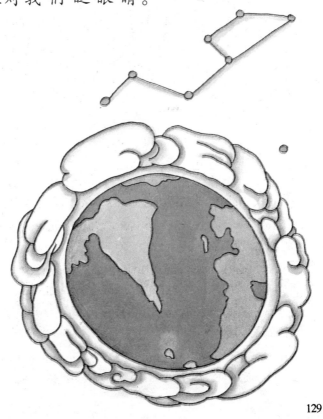

天文台为什么盖在山上

wǒ men de dì qiú shì bèi yì céng hòu hòu de dà qì bāo
我们的地球是被一层厚厚的大气包

wéizhe xīngxing de guāngyào chuānguozhècéng dà qì cái
围着，星星的光要穿过这层大气才

néng bèi tiān wén tái de wàngyuǎn jìng kàn jian dàn dà qì
能被天文台的望远镜看见。但大气

zhōng yǒu xǔ duō yān wù chén tǔ wēi lì hé shuǐ zhēng qì
中有许多烟雾、尘土微粒和水蒸气，

tā menzǒng shì bù tíng de yùn dòng gěitiānwénguān cè dài
它们总是不停地运动，给天文观测带

来很大影响。特别是大城市附近，一到晚上灯火通明，把天空都照亮了，这样一来，天文工作者就更看不清那些很暗的星星了。高的地方空气稀薄，尘土和水蒸气较少，有利于天文观测，所以，天文台差不多都建在山上。

海水为什么是蓝色的

yòng bō li bēi bǎ hǎi shuǐ yǎo qi lai kàn kan   qí shí gēn
用 玻璃杯把海 水 舀起来看看，其实根

běn méi yǒu yán sè
本没有颜色。

hǎi shuǐ qiǎn de dì fang   kě yǐ qīng chu de kàn dào
海水 浅 的地 方，可以清 楚地看 到

hǎi dǐ   dàn hǎi shuǐ yuè shēn lán sè yuè nóng
海底，但海水 越深，蓝色越浓。

太阳 的 光 线 有 赤 、 橙 、 黄 、 绿 、
青 、 蓝 、 紫 七 色 。 很 多 水 聚 在 一 起 , 碰 到 太
阳 的 光 线 , 只 反 射 太 阳 光 的 蓝 色 。
所 以 我 们 看 到 的 海 都 是 蓝 色 的 。

有 人 以 为 海 是 反 射 天 空 的 蓝 色 , 所 以
才 会 变 成 蓝 色 , 这 是 不 对 的 , 因 为 天 空
布 满 乌 云 的 时 候 , 海 仍 旧 是 蓝 色 的 !

为什么沙漠里也有地下水

沙漠是地球上特别干燥的地方，下的
雨也很少很少。可是，在沙漠里地下常
有水，那么，这些地下水是从哪里来的呢?

沙漠里地下水的来源很多，最主要的
来源是河流把多雨地区的水运到沙漠
中，然后渗入地下，给沙漠补充了地下
水；还有的是由高山上的融雪水渗

入地下形成的;另外,今天的沙漠,很久以前也可能有河流,由于洪水泛滥等原因,使大量地面水渗到今天的沙漠地下,并一直储存到现在。

小朋友们，你们观察过月亮吗？

月亮有时圆圆像个盘，有时弯弯像只船。是不是月亮能变圆、变弯呢？

其实，月亮本身不会发光，是太阳

de guāng bǎ yuè liang zhào liàng
的 光 把 月 亮 照 亮

de yuè liang zài bù tíng de rào
的。月 亮 在 不 停 地 绕

zhe dì qiú zhuàn tóng shí yuè
着 地 球 转 ，同 时 月

liàng hé dì qiú yòu bù tíng de rào
亮 和 地 球 又 不 停 地 绕

zhe tài yáng zhuàn zhè yàng tài yáng zhào liàng yuè liang de
着 太 阳 转 。这 样 太 阳 照 亮 月 亮 的

dì fang jiù yǒu shí duō yǒu shí shǎo rú guǒ tài yáng guāng
地 方 就 有 时 多 有 时 少 。如 果 太 阳 光

bǎ yuè liang xiàng zhe dì qiú de yí miàn quán bù zhào liàng
把 月 亮 向 着 地 球 的 一 面 全 部 照 亮

shí wǒ men kàn dào de yuè liang jiù shì yuán de rú guǒ zhào
时 ，我 们 看 到 的 月 亮 就 是 圆 的 ；如 果 照

liàng le yì xiǎo bù fen wǒ men kàn dào de yuè liang jiù shì
亮 了 一 小 部 分 ，我 们 看 到 的 月 亮 就 是

wān wān de yuè yá
弯 弯 的 月 牙 。

火山是怎样形成的

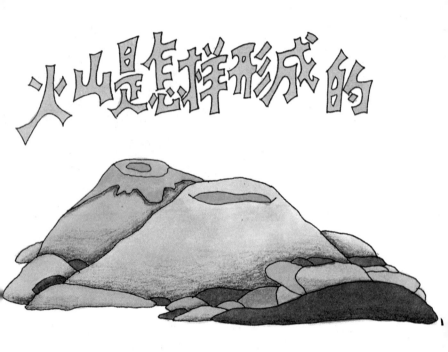

zài diàn shì shang wǒ men yǒu shí kě yǐ kàn dào huǒ shān
在 电 视 上 我 们 有 时 可 以 看 到 火 山

pēn fā de chǎng miàn   nà me huǒ shān shì zěn yàng xíng
喷 发 的 场 面，那 么 火 山 是 怎 样 形

chéng de ne
成 的 呢？

yuán lái dì qiú de nèi bù wēn dù fēi cháng gāo yán shí
原 来 地 球 的 内 部 温 度 非 常 高，岩 石

dōu róng huà chéng le yè tǐ   píng shí tā bèi dì qiào jǐn jǐn
都 熔 化 成 了 液 体。平 时 它 被 地 壳 紧 紧

bāo guǒ zhe bú huì chōng chu dì miàn yí dàn yù dào dì
包 裹 着，不 会 冲 出 地 面，一 旦 遇 到 地

138

壳结合比较脆弱的地
方或发生地震产生
裂缝时,本来约束在岩浆
中的气体和水蒸气就迅
速分离开来,体积膨胀,
冲出地表,这样,火
山就爆发了。

海水为什么是咸的

海水是咸的，江河水是淡的，这几乎
人人都知道。那么，请问海水为什么是
咸的？"海水中有盐呗"，你会爽快
地回答。如果再追问一下，那盐是哪来的
呢？这，恐怕你答不上来了吧！

这是道难题，科学家们一直在研究，目

前还没有一致的说法。一种

说法是陆地上土壤里的盐分，随

着雨水冲刷溶解流进江河，最后流进

海里。日积月累，海洋里盐分越来越多，海

水由淡变咸了。另一种说法是海水

本来就是咸的，因为海水的盐分并没有

越来越多呀！

也许，将来解开这道难题的人，就在从

小爱科学的少

年朋友之

中。

石头也会生病？是的。闻名世界的
埃及狮身人面石像就生过病。这座
已有4000多年历史的古代雕像两眼下
陷，鼻子塌成一个黑窟窿，屁股上烂了个
洞……

石头日晒夜露，热胀冷缩，它表面

就会出现一丝丝裂痕；石头还受雨水、细菌的侵蚀，使坚硬的石头内部遭到破坏；还有花草树木的根会吸收石头里的矿物质，这样，石头就像人体受风寒、病菌侵害那样生病了。幸好，经过专家会诊，得知石头得了风化症，并想出办法来保护好这些名胜古迹。

143

为什么花盆底部有个小洞

ài zhòng huā de xiǎo péng yǒu kě néng huì zhù yì dào
爱 种 花 的 小 朋 友 可 能 会 注 意 到,

zāi huā de huā pén dǐ bù dōu yǒu yí gè xiǎo dòng néng bu
栽 花 的 花 盆 底 部 都 有 一 个 小 洞, 能 不

néng bǎ zhè ge dòng dǔ shang ne
能 把 这 个 洞 堵 上 呢?

rú guǒ bǎ zhè ge dòng dǔ shang nà me suǒ zhòng de
如 果 把 这 个 洞 堵 上 , 那 么 所 种 的

huā yí dìng zhǎng bu hǎo bié kàn zhè ge dòng bú dà yòng
花 一 定 长 不 好。 别 看 这 个 洞 不 大, 用

144

chù kě duō la　　nǐ rú guǒ jiāo de shuǐ duō le　huā de gēn hē
处可多啦。你如果浇的水多了,花的根喝

bu liǎo nà me duō　shèng xia de jiù kě yǐ cóng zhè li liú chu
不了那么多,剩下的就可以从这里流出

qu　zhè yàng néng shǐ huā pén de tǔ bǎo chí yí dìng de shī dù
去,这样能使花盆的土保持一定的湿度。

lìng wài　tǔ li　yě xū yào xīn xiān de kōng qì　zhè ge xiǎo
另外,土里也需要新鲜的空气,这个小

dòng huán kě yǐ ràng xīn
洞还可以让新

xiān de kōng qì jìn lai
鲜的空气进来,

shǐ huā gèng hǎo de shēng
使花更好地生

zhǎng
长。

145

被蚊子叮了为什么会发痒

xià tiān wēng wēng jiào de wén zi zuì tǎo yàn le tā
夏天，嗡 嗡 叫 的 蚊子 最 讨 厌 了，它
men huì zài rén shēn shang dīng gè yòu zhǒng yòu yǎng de dà
们 会 在 人 身 上 叮 个 又 肿 又 痒 的 大
bāo
包。

wén zi de zuǐ shì yí gè yòu jiān yòu xì de guǎn zi tā
蚊子 的 嘴 是 一 个 又 尖 又 细 的 管 子，它
xī xiě shí yòng zuǐ cì pò rén de pí fū jiē zhe zhā rù xuè guǎn
吸血时，用 嘴 刺 破 人 的 皮肤，接着 扎入 血 管

之中，然后开始大吃大喝起来。为了使自己

轻易将血液吸进肚里，蚊子排出一种有

毒的唾液，这种东西流入人体的血液

中，会使血液不凝固，蚊子就可以乘机

吃个饱。

被蚊子叮了

以后，由于这种

唾液在作怪，皮肤

就会觉得特别痒。

为什么不能拿雨伞当降落伞

wǒmen bǎ bāng zhù rén huò wù tǐ cóng fēi jī shang
我们把帮助人或物体从飞机上

jiàng luò dào dì miàn de dōng xi jiào jiàng luò sǎn nà me
降落到地面的东西叫降落伞。那么,

néng bu néng bǎ yǔ sǎn dàng zuò jiàng luò sǎn ne jué duì
能不能把雨伞当做降落伞呢? 绝对

bù xíng rú guǒ zhēn yǒu rén ná yǔ sǎn dàng jiàng luò sǎn
不行! 如果真有人拿雨伞当降落伞

cóng gāo chù wàng xià tiào kěn dìng huì shuāi de tóu pò xiě liú
从高处往下跳,肯定会摔得头破血流。

148

降落用的伞，要比普通雨伞大好几十倍，这么大的降落伞才能得到足够的空气阻力，带着人慢慢从高空飘落，一直落到地面。另外，降落伞制造得非常结实，能够禁得住巨大力量的冲击。而雨伞是很不吃劲儿的，一阵风就能把它掀翻。

yǒu de xiǎo péng yǒu hěn xǐ huan yòng shǒu zhǐ wā bí
有 的 小 朋 友 很 喜 欢 用 手 指 挖 鼻

kǒng zhè shì gè bù hǎo de xí guàn
孔 ，这 是 个 不 好 的 习 惯 。

rén de bí zi li yǒu bí qiāng
人 的 鼻 子 里 有 鼻 腔 ，

bí qiāng de biǎo miàn yǒu yì céng hěn
鼻 腔 的 表 面 有 一 层 很

báo hěn nèn de nián mó nián mó
薄 很 嫩 的 粘 膜 ，粘 膜

shang yǒu hěn duō yòu xì yòu xiǎo de
上 有 很 多 又 细 又 小 的

xuè guǎn yòu jiān yòu yìng de shǒu
血 管 。 又 尖 又 硬 的 手

zhǐ jia hěn róng yì bǎ zhè xiē xuè
指 甲 很 容 易 把 这 些 血

guǎn wā pò yǐn qǐ chū xiě
管 挖 破 ，引 起 出 血 。

tóng shí shǒu shang de bìng
同 时 ，手 上 的 病

jūn bí qiāng li de bìng
菌 ，鼻 腔 里 的 病

jūn jiù huì zuān jìn xiǎo
菌 ，就 会 钻 进 小

xuè guǎn li yǐn qǐ bí
血 管 里 ，引 起 鼻

150

腔发炎、红肿。

一个人经常挖鼻孔，给人看上去，有种不舒服的感觉，所以，小朋友要改掉这种习惯。

shuǐ yǒu zhēng fā de tè diǎn kě shì qì yóu bǐ shuǐ gèng
水 有 蒸 发 的 特点，可是 汽油 比 水 更

huó yuè tā shì yì zhǒng huī fā xìng yè tǐ tè bié róng yì biàn
活 跃，它 是 一 种 挥 发 性 液体，特别 容易 变

chéng qì tǐ bìng qiě zhǐ yào yǒu yì diǎn xiǎo kòng xì tā
成 气体，并且，只要 有 一 点 小 空 隙，它

jiù huì zuān chu qu zài cún fàng qì yóu de dì fang yǒu tè bié
就会 钻 出 去。在 存 放 汽油 的 地方 有 特别

nóng de qì wèi jiù shì qì yóu huī fā chéng qì tǐ de yuán gù
浓 的 气味，就是 汽油 挥发 成 气体 的 缘 故。

汽油是一种易燃易爆物品，在汽油挥发的地方，一点儿火星就能引起火灾，严重时还能引起爆炸。因此，装汽油的容器一定要密封，用后盖子一定要拧紧，这样既能避免浪费，又能预防火灾发生。

为什么枪在瞄准时要闭上一只眼睛

rén de yǎn jīng hé zhào xiàng jī de zuò yòng jī hū wán
人 的 眼 睛 和 照 相 机 的 作 用 几 乎 完

quán xiāng tóng zài bù tóng wèi zhi shang pāi zhào jiāng shè
全 相 同，在 不 同 位 置 上 拍 照，将 摄

xia bù tóng de jìng tóu rén de zuǒ yǎn hé yòu yǎn jì rán gé
下 不 同 的 镜 头。人 的 左 眼 和 右 眼，既 然 隔

zhe yí dìng de jù lí nà me zuǒ yǎn hé yòu yǎn suǒ huò dé de
着 一 定 的 距 离，那 么 左 眼 和 右 眼 所 获 得 的

yǐng xiàng zì rán yě bìng bù wán quán xiāng tóng
影 像，自 然 也 并 不 完 全 相 同。

当我们射击瞄准的时候，为了使子弹射中目标，就应当使枪支的标尺、准星和目标在一条直线上，可是刚才我们就已经说过，左眼和右眼实际上观察到的物体的像不同，因此，就必须闭上一只眼睛，才能瞄准射击的目标。

为什么会打喷嚏

wǒ men de bí nián mó shang yǒu xǔ duō fēi cháng líng
我们的鼻粘膜上有许多非常灵

mǐn de shén jīng xì bāo dāng là wèi huī chén děng zuān jìn
敏的神经细胞，当辣味、灰尘等钻进

bí kǒng shí shén jīng xì bāo jiù huì lì kè bào gào dà nǎo sī
鼻孔时，神经细胞就会立刻报告大脑司

lìng bù yú shì sī lìng bù jiù fā chū mìng lìng ràng bí zi
令部。于是，司令部就发出命令，让鼻子、

qì guǎn fèi hé zuò shēn xī yì kǒu qì zài ràng xiōng bù xǔ
气管、肺合作，深吸一口气，再让胸部许

多肌肉突然 猛烈 收缩，然后 用足劲从鼻孔和嘴 向 外喷出气体，把钻进鼻孔的 东 西赶了出去。这就是打喷嚏。

同 咳嗽、流泪、打呵欠 一样，打喷嚏也是人体自我保护的一 种 方式。

吹出的肥皂泡为什么先升后落

小朋友都吹过肥皂泡吧? 用嘴对着蘸了肥皂水的细管子轻轻一吹, 一串串五颜六色的肥皂泡就轻飘飘地向上升起, 一会儿它们却慢悠悠地落向地面。这是怎么一回事?

原来肥皂泡里充满了我们吹进去

de qì tǐ　chú fēi zài jí rè de tiān qì li　wǒ men hū chu de qì
的气体，除非在极热的天气里，我们呼出的气

tǐ zǒng yào bǐ kōng qì rè　rè kōng qì qīng　suǒ yǐ gāng
体总要比空气热，热空气轻，所以刚

chuī chu de féi zào pào jiù yào xiàng
吹出的肥皂泡就要向

shàng shēng le　dàn shì　shí jiān yì
上升了。但是，时间一

cháng　féi zào pào zhōng de qì tǐ wēn
长，肥皂泡中的气体温

dù xià jiàng　tǐ jī biàn xiǎo　zhè féi
度下降，体积变小，这肥

zào pào jiù bǐ kōng qì zhòng le　yú
皂泡就比空气重了，于

shì màn man luò le xià lái
是慢慢落了下来。

159

新买来的胶卷为什么外面都包着黑纸

胶卷是照相用的底片，上面涂
了一层药剂，这层药剂一见到光就会
发生变化。所以，只有在照相的时
候，才能让光通过镜头里的快门，进
到照相机里，假如还没照相时，就已经

ràng jiāo juǎn jiàn dào le guāng yào jì jiù huì qǐ biàn huà
让 胶 卷 见 到 了 光 ，药 剂 就 会 起 变 化，

nà me jiāo juǎn jiù bù néng yòng le
那么 胶 卷 就 不 能 用 了。

rú hé bǎo zhèng jiāo juǎn zài shǐ yòng qián bú pù guāng
如何 保 证 胶 卷 在 使用 前 不 曝 光

ne rén men xiǎng le yí gè yǒu xiào de bàn fǎ jiù shì zài jiāo
呢？人们 想 了 一个 有 效 的办法，就是 在 胶

juǎn wài mian dōu bāo shang yì céng hēi zhǐ huò zhě bǎ jiāo
卷 外 面 都 包 上 一 层 黑纸，或 者 把 胶

juǎn fàng dào yí gè àn hé li
卷 放 到 一个 暗盒里。

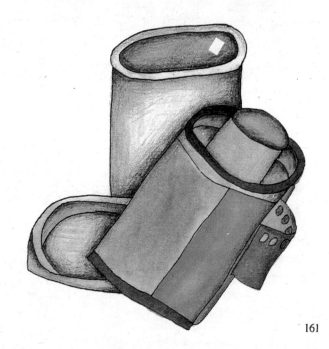

diàn shì píng mù shang huì fā chū wēi liàng de   yǎn jing
电视 屏 幕 上 会发 出 微 量 的、眼 睛

kàn bu jiàn de fàng shè xìng wù zhì   ér qiě diàn shì jī páng
看不 见 的 放 射 性 物 质。而 且，电 视 机 旁

cháng cháng chǎn shēng shǎo liàng jìng diàn jìng diàn huì xī
常 常 产 生 少 量 静 电，静 电 会 吸

fù yì xiē kōng qì zhōng de huī chén suǒ yǐ diàn shì jī biǎo
附 一些 空 气 中 的 灰 尘，所 以 电 视 机 表

162

面会落上一些细细的尘土。

人们距离电视机较近，脸上也会落上一些尘土，影响皮肤的清洁。所以，看完电视洗脸，既可以减少放射性物质的危害，又能洗净灰尘。小朋友们一定要养成这个良好习惯呀！

163

为什么吃饭前要洗手

wǒmen měi gè rén dōu yǒu yì shuāng shǒu　shǒu de zuò
我们 每个人 都有一 双 手，手的作

yòng hěn dà　shāo fàn　xǐ cài　dǎ diàn huà　diǎn chāo piào
用 很大，烧饭、洗菜、打电话、点 钞 票，

zhè xiē dōu lí bu kāi shǒu　zài zuò zhè xiē shì shí　shǒu yào jiē
这些 都离不开手。在做这些事时，手 要接

chù gè zhǒng dōng xi　zhè xiē dōng xi yǒu xiē běn shēn jiù
触各 种 东西。这些东西有些本身就

hěn zāng　xiàng shū cài　shuǐ guǒ děng　yǒu xiē shì gōng yòng
很脏， 像 蔬菜、水 果 等；有些是公 用

de cái wù　xiàng diàn huà jī děng　tā men dōu dài yǒu xǔ duō
的财物， 像 电 话机等，它们都带有许多

164

细菌。特别是一些小朋友，喜欢玩泥土、弹子，手就更脏了。如果吃饭前不洗手，拿起食物就吃，那么就会把细菌吃进肚子里，这样就容易得病。所以，吃饭前一定要洗手。

为什么鼻子会翘手

rén de pí fū xià mian yǒu gè xiàn tǐ　tā huì shēng chu
人 的 皮 肤 下 面 有 个 腺 体，它 会 生 出

yóu zhī　wǒ men jiào tā pí zhī xiàn　pí zhī xiàn shēng chu de
油 脂，我 们 叫 它 皮 脂 腺。皮 脂 腺 生 出 的

yóu zhī　kě yǐ zī rùn pí fū　shǐ pí fū guāng huá fā liàng
油 脂，可 以 滋 润 皮 肤，使 皮 肤 光 滑 发 亮。

dàn shì dào le dōng tiān　tiān qì lěng le　pí xià xuè guǎn kāi
但 是 到 了 冬 天，天 气 冷 了，皮 下 血 管 开

shǐ shōu suō　shū sòng gěi pí zhī xiàn zhì zào yóu zhī de yuán
始 收 缩，输 送 给 皮 脂 腺 制 造 油 脂 的 原

料少了，这样，皮脂腺生出的油脂也就少了。而手背上的皮脂腺本来就比较少。所以，天冷容易皴手。为了保持皮肤滋润，防止皴手，冬天洗好脸和手后，要抹上点润肤油脂。

菠萝又叫凤梨、黄梨,是大家都很喜
欢的水果,但吃菠萝之前为什么总要
先用盐水浸一下呢?

原来,菠萝里含有一种叫"菠萝酶"
的东西,它会在我们吃菠萝时进行分解,

168

使口腔和舌头有轻微刺痛发麻的感觉。

蘸了盐水以后，"菠萝酶"的活动就受到了抑制，这样菠萝吃在嘴里就不会感到麻木，反而觉得很香甜了。

知道了这个道理，以后吃菠萝时就要记住蘸点盐水！

为什么吃饭太快不好

yào shí wù zuì hòu biàn chéng néng bèi wǒ men shēn tǐ
要 食 物 最 后 变 成 能 被 我 们 身 体

xī shōu de yíng yǎng dì yī guān shì yá chǐ de jǔ jué yá chǐ
吸 收 的 营 养 ，第 一 关 是 牙 齿 的 咀 嚼 。牙 齿

de běn lǐng hěn dà tā néng bǎ chī xia qu de yú ya ròu ya fàn
的 本 领 很 大 ，它 能 把 吃 下 去 的 鱼 呀 ，肉 呀 ，饭

ya shū cài ya jiáo de yòu làn yòu xì hái yǒu wǒ men de tuò
呀 ，蔬 菜 呀 嚼 得 又 烂 又 细 。还 有 ，我 们 的 唾

yè zhōng yǒu néng bāng zhù xiāo huà de dōng xi zhǐ yǒu tuò
液 中 有 能 帮 助 消 化 的 东 西 ，只 有 唾

yè yǔ fàn cài chōng fèn hùn hé hòu shí wù cái róng yì xiāo
液 与 饭 菜 充 分 混 合 后 ，食 物 才 容 易 消

化。如果我们吃饭太快，食物没有和唾液充分混合，也没有被牙齿嚼烂嚼细，就一下子咽了下去，这样就会加重胃肠的负担，食物也不能充分消化，还会得胃病呢。

冬天，小朋友在户外和别人说话
dōng tiān xiǎo péng yǒu zài hù wài hé bié ren shuō huà
时，有没有发现只要一开口，嘴里就会冒
shí yǒu méi yǒu fā xiàn zhǐ yào yì kāi kǒu zuǐ li jiù huì mào
出许多白汽？
chū xǔ duō bái qì

那是因为冬天户外的气温很低，而人
nà shì yīn wèi dōng tiān hù wài de qì wēn hěn dī   ér rén

身体的体温要比外边的空气温度高，从人们嘴里呼出来的气是热气，这热气里有很多水分，而水分一碰上外面的冷空气，就会马上凝结成特别细小的小水珠，这些小水珠让阳光这么一照，看上去就成了白色的水汽了。

chūnqiū jì jié yǒushíhouzǎochén de wù qì shìhěndà
春秋季节,有时候早晨的雾气是很大

de xuǎn zé zhèyàng de tiān qì duànliàn shēn tǐ bú dàn
的。选择这样的天气锻炼身体,不但

dá bu dào duànliàn de mù dì hái huì bǎ shèn tǐ gǎo huài
达不到锻炼的目的,还会把身体搞坏。

wèishénme ne
为什么呢?

因为空气中有灰尘，还有细菌，在有雾的时候，这些灰尘和细菌不容易散开，它们悬浮在空气中。人们在跑步或剧烈运动时，就会把大量的空气中的灰尘和细菌吸进肚子里，粘到肺叶上。

另外，雾气潮湿，在雾气中锻炼，人们会感到气短、胸闷。

所以，春秋季节锻炼身体，不要选择有雾气的日子。

175

天 真 热，连 一 丝 风 都 没 有。这 时 候
在 游 泳 池 里 游 水、嬉 戏 可 真 舒 服 呀！

　　当 跨 进 游 泳 池 时，你 用 脚 试 试 水
温，会 发 现 水 底 比 水 面 上 凉 快 许 多，
这 是 为 什 么 呢？

　　夏 天 的 太 阳 光 很 热，它 照 在 水 面

^{shang} 上 ^{shǐ} 使 ^{shuǐ} 水 ^{de} 的 ^{biǎo} 表 ^{céng} 层 ^{xī} 吸 ^{shōu} 收 ^{le} 了 ^{dà} 大

^{liàng} 量 ^{de} 的 ^{rè} 热，^{wēn} 温 ^{dù} 度 ^{yě} 也 ^{suízhī} 随之 ^{shēng} 升 ^{gāo} 高 ^{le} 了。

^{dàn} 但 ^{shuǐ} 水 ^{shì} 是 ^{yí} 一 ^{gè} 个 ^{màn} 慢 ^{xìng} 性 ^{zi} 子，^{jǐn} 尽 ^{guǎn} 管 ^{shuǐ} 水 ^{miàn} 面 ^{shang} 上 ^{tǐng} 挺

^{rè} 热，^{kě} 可 ^{zhè} 这 ^{rè} 热 ^{yào} 要 ^{xiǎng} 想 ^{chuán} 传 ^{dào} 到 ^{shuǐ} 水 ^{dǐ} 底 ^{xia} 下，^{hái} 还 ^{xū} 需 ^{yào} 要 ^{hěn} 很

^{cháng} 长 ^{shí} 时 ^{jiān} 间。

^{suǒ} 所 ^{yǐ} 以，^{rén} 人 ^{men} 们 ^{yí} 一 ^{xià} 下 ^{dào} 到 ^{shuǐ} 水 ^{li} 里 ^{yóu} 游 ^{yǒng} 泳 ^{de} 的 ^{shíhou} 时候，

^{jiù} 就 ^{huì} 会 ^{yǒu} 有 ^{shuǐ} 水 ^{miàn} 面 ^{rè} 热、^{shuǐ} 水

^{dǐ} 底 ^{liáng} 凉 ^{de} 的 ^{gǎn} 感 ^{jué} 觉。

为什么樟脑丸会变小

xià tiān wèi le bú ràng yī guì li de yī fu bèi chóng
夏天，为了不让衣柜里的衣服被虫

yǎo xū yào zài yī guì li fàng hěn duō zhāng nǎo wán guò
咬，需要在衣柜里放很多樟脑丸。过

le yí duàn shí jiān dǎ kai guì zi huì wén dào yì gǔ qiáng liè
了一段时间打开柜子，会闻到一股强烈

de zhāng nǎo wèi kě shì lǐ miàn de zhāng nǎo wán què wèi
的樟脑味，可是里面的樟脑丸却为

shén me dōu biàn xiǎo le ne
什么都变小了呢?

yuán lái zhāng nǎo wán huī fā xìng tè bié qiáng tā
原来，樟脑丸挥发性特别强，它

men suí shí dōu zài biàn chéng qì
们 随 时 都 在 变 成 气

tǐ piāo sàn zài kōng qì li wǒ
体 飘 散 在 空 气 里, 我

men wén dào zhāng nǎo wèi jiù
们 闻 到 樟 脑 味, 就

shuō míng tā zài bú duàn de huī
说 明 它 在 不 断 地 挥

fā xiǎo chóng zuì pà zhāng nǎo
发。小 虫 最 怕 樟 脑

wèi le tā men wén dào hòu jiù
味 了, 它 们 闻 到 后 就

zài yě bù gǎn lái yǎo yī fu le
再 也 不 敢 来 咬 衣 服 了,

kě zhāng nǎo wán què biàn de yuè
可 樟 脑 丸 却 变 得 越

lái yuè xiǎo zuì hòu jiù shèng xia yì
来 越 小, 最 后 就 剩 下 一

diǎn fěn mò le
点 粉 末 了。

为什么大蒜能杀菌

大蒜既是蔬菜，又是防病治病的一种好药。人们在很久以前就发现了大蒜能杀菌的特殊本领。

大蒜里有一种叫"大蒜素"的东西，它比有些药的杀菌力还强，许多细菌遇到大蒜就会马上死亡。特别是夏天肠道

传染病流行，多吃大蒜可以杀死痢疾杆菌，预防痢疾。

近年来科学家还发现，经常吃大蒜不仅能预防疾病，还可以增强身体的抵抗力。

现在，好多好多小朋友都喜欢吃
泡泡糖，一会儿嚼，一会儿吹，吹出大大
的泡泡。可是，泡泡糖吃多了，会给自己的
身体带来危害。

泡泡糖的主要成分里有橡胶和增塑剂。天然橡胶一般是没有毒性的，但制作泡泡糖用的橡胶是加了添加剂的。这些添加剂都有微量的毒性，如果小朋友过多地吃泡泡糖，这些有害的物质积少成多，会影响身体健康。

冰淇淋为什么越吃越渴

yán rè de xià tiān　kǒu kě de hái zi chī le　yì bēi bīng qí
炎热的夏天，口渴的孩子吃了一杯冰淇

lín hòu huì jué de yuè chī yuè kě　zhè shì wèi shén me ne
淋后会觉得越吃越渴，这是为什么呢?

yuán lái　bīng qí lín shì yòng niú nǎi　jī dàn děng zuò
原来，冰淇淋是用牛奶、鸡蛋等做

chéng　zhǔ yào chéng fen shì dàn bái zhì　dàn bái zhì zài xiāo
成，主要成分是蛋白质。蛋白质在消

huà　shí xū yào xiāo hào dà liàng de shuǐ fèn　jīng guò xīn
化时需要消耗大量的水分，经过新

陈代谢，最后变成尿素，排出体外。一般来说，从人体里排出5克尿素，就需消耗100克水。

因此，吃冰淇淋不但不能解渴，而且越吃越渴。夏天，孩子渴了，最好还是喝些凉开水。

吃药时为什么不能喝茶

chá yè li yǒu hěn duō zhǒng kuàng wù zhì hái yǒu wéi
茶叶里有很多 种 矿 物质,还有维

shēng sù kā fēi yīn fāng xiāng yóu hé yì zhǒng suān xìng wù
生 素、咖啡因、芳 香 油和一 种 酸 性物

zhì wǒ men chī de yào yǒu bù shǎo hán yǒu jiǎn hán jiǎn
质。我们吃的药,有不少含有碱。含碱

的药如果和茶叶中的酸性物质遇到一起,就会变成不能溶解、也不能被人体吸收的沉淀物和水,这样就会大大地减弱药性,达不到应有的疗效。

我们吃药是为了治病,如果用茶水吃药,不仅达不到治病的目的,还可能耽误病情。

为什么不要喝生水

把一滴自来水放在显微镜下,我们会
看见,里面有许多许多细菌。如果把这些
细菌吃下去,就会使我们得病,闹肚子痛,
拉稀。所以,千万不要以为,生水看
上去好像很干净,吃下去没有关系。

把生水烧开了,细菌和寄生虫卵被煮死了,人喝了开水就不会生病了。小朋友要养成喝开水的习惯,不能喝生水,特别不能喝没有经过消毒的河水和井水。

为什么鸡蛋不容易捏碎

鸡蛋有薄薄的一层外壳,剥开的蛋壳,只要轻轻一按,便会破裂成片。

但是如果你把一个完整的生鸡蛋,紧紧地握在手里,任凭你用多大的力气也很难捏碎。为什么?

因为鸡蛋是圆的,当我们把鸡蛋捏紧时,它表面的各个部分所受的力都是

190

相 等的，因此蛋壳就不会被捏碎。所以
说 圆 形物体不易被损 坏。

　　人类利 用 这个道理，建造了圆屋顶
和"薄壳"屋顶，非 常 坚固。

为什么不能用水浇灭着火的油

yòng shuǐ miè huǒ shì xiǎo péng yǒu dōu zhī dao de miè
用 水 灭 火 是 小 朋 友 都 知 道 的 灭

huǒ fāng fǎ   dàn yóu zháo huǒ hòu kě qiān wàn bù néng
火 方 法。但 油 着 火 后 可 千 万 不 能

yòng shuǐ qù miè huǒ
用 水 去 灭 火。

dāng bǎ shuǐ jiāo dào rán shāo zhe de yóu shang shí yīn
当 把 水 浇 到 燃 烧 着 的 油 上 时,因

192

为 水 比 油 重，它 就 会 沉 在 火 油 的 底 部，

而且 还 搅 动 了 火 油，增 加 了 火 油 与 空 气

的 接触 面 积，燃 烧 也 就 会 更 加 剧 烈 了。

所以，当 油 着 火 时，决 不 能 用 水 去

灭火，应 当 立 即 用 沙、泥土 等 物质 盖 在

火 上 面，使 它 与 空 气 隔 绝 而 熄 灭。如果

使 用 泡 沫 灭 火 器 这 类 灭 火 工 具 去 扑 油

上 的 火，效 果 就 更 好 了。

为什么水壶的壶底不是平的

小朋友会发现，厨房里烧开水的水壶底部有着一圈圈的波纹。为什么壶底不做成平的？

我们做个实验，把两张纸，一张平铺，一张折成波纹形，使它们一样

194

长 短 宽 窄。然后,再把波纹 形纸展
开,这时你会发现它比平铺的纸 面 积大得
多。 同 样 道理,把壶底做 成 波纹
状 ,就是增大壶底面积。这个面积越
大,壶底受 热越多, 传 热越快,水就开得
快了。

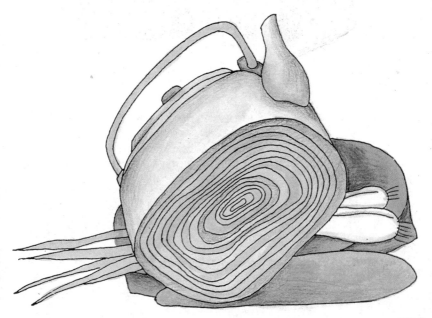

电车上为什么有两根辫子

wǒ men píng shí gēn bà ba mā ma chū mén chéng gōng
我们 平时 跟 爸爸 妈妈 出门 乘 公

jiāo chē shí jīng cháng kàn dào diàn chē dǐng shang shù zhe
交车 时，经常 看到 电车 顶 上 竖着

liǎng gēn cháng cháng de hēi biàn zi zhè shì zěn me huí
两根 长 长 的黑"辫子"。这是怎么回

shì ne
事呢?

电车不像别的汽车用油作动
力，它用的是电。人们先在马路上架设
好了电线，黑"辫子"就和电线连在一起，
源源不断地为车子输送电力。

正因为这样，有时辫子如果掉了
下来，车子便怎么也开不动了。

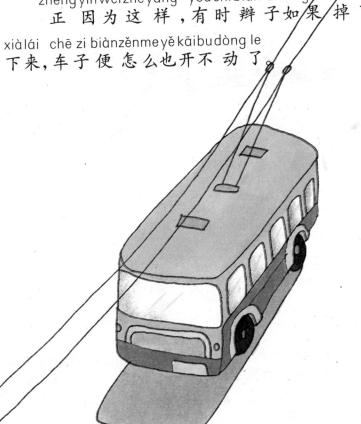

为什么鸡蛋吃得太多不好

为了使孩子长得健壮，不少父母餐餐给孩子吃鸡蛋。其实过多地吃鸡蛋会增加肠胃的负担，给孩子带来不良影响。

营养学家认为，一到一岁半的婴儿最好只喂蛋黄，而且每天不超过一个；一

suì bàn dào liǎng suì bàn de kě yǐ gé yì tiān chī yí gè jī dàn
岁半到两岁半的可以隔一天吃一个鸡蛋。

hái zi nián líng shāo dà yǐ hòu cái kě yǐ měi tiān chī yí gè
孩子年龄稍大以后,才可以每天吃一个。

duì yú wèi cháng bù hǎo de hái zi kě yǐ bǎ dàn huáng zhǔ
对于胃肠不好的孩子,可以把蛋黄煮

chéng liú zhì bàn zhōu bàn miàn shí yì qǐ wèi shí hái zi xiāo
成流质,拌粥拌面食一起喂食。孩子消

huà bù liáng shí zuì hǎo zàn shí bù chī jī dàn
化不良时,最好暂时不吃鸡蛋。

暖水瓶塞为什么会自己跳出来

装满开水的暖瓶，当你给它盖上木塞时，瓶塞常常会像长了腿一样自己蹦出来。而且你盖得越紧，它可能蹦得越高，好像和你开玩笑似的。

其实，这是空气玩的把戏。开盖

de nuǎn shuǐ píng rú guǒ lòu rù le lěng kōng qì tā men jiē
的暖水瓶如果漏入了冷空气,它们接
chù dào rè kōng qì biàn xùn sù péng zhàng chǎn shēng yì
触到热空气便迅速膨胀,产生一
gǔ hěn dà de lì liang xiàng píng kǒu chōng qu zhè yàng
股很大的力量向瓶口冲去。这样,
píng sāi jiù huì bèi chōng de bèng qi lai le
瓶塞就会被冲得蹦起来了。

zěn yàng cái néng bú ràng píng sāi tiào
怎样才能不让瓶塞跳
chu lai ne zhǐ yào bǎ píng sāi fàng zài nuǎn
出来呢?只要把瓶塞放在暖
píng kǒu zhǐ liú yì diǎn fèng xì qīng
瓶口,只留一点缝隙,轻
qīng huàng dòng nuǎn píng ràng kōng
轻晃动暖瓶,让空
qì pǎo chu lai zài bǎ píng sāi gài
气跑出来,再把瓶塞盖
shang zhè yàng jiù bú huì zài tiào
上,这样就不会再跳
chu lai le
出来了。

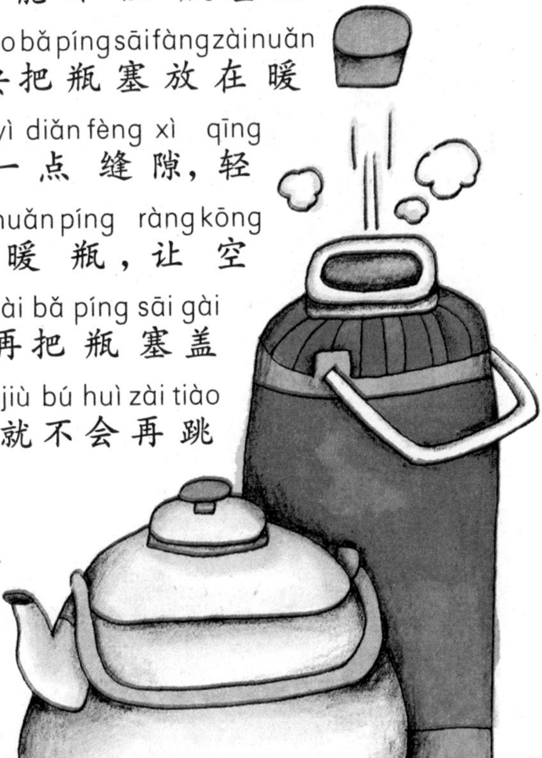

人睡觉为什么要用枕头

rú guǒ shuì jiào de shí hou　zhěn tou gāo le huò zhě tóu
如果 睡觉 的时候，枕头 高了 或者 头

lí kāi le zhěn tou　nà me　xǐng guo lai de shí hou　jiù huì
离开了 枕头，那么，醒 过来的 时候， 就会

tóu hūn nǎo zhàng　bó zi fā suān　yǎn pí zhǒng ér qiě chén
头昏脑 胀，脖子发 酸，眼皮 肿 而且 沉，

hǎo xiàng méi shuì xǐng shì de
好 像 没 睡 醒 似的。

原来，人睡觉时不枕枕头，就会影响头部血液循环，时间长了，就会造成头昏脑胀、眼皮肿等现象。如果枕着枕头睡就不会这样。因为头垫高了，胸部也会稍微抬高，下半身的血回流得慢些，可以减轻心脏的负担。

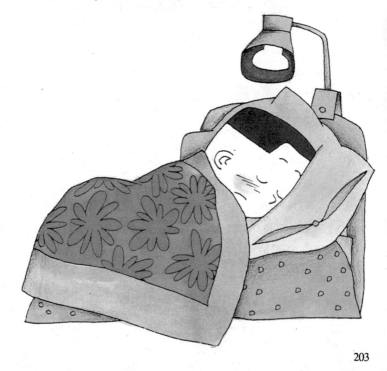

茶壶盖上的小孔有什么用

别看茶壶盖上这个孔很小，用途
可大了。它把茶壶里面的空气和外面的
大气连通在一起了，当你往外倒水时，
水从壶嘴里流出来，壶里的空间增大，外
面的空气及时从小孔进到壶里，使壶里
空气的压力与外面大气的压力相同，水

就能 从壶嘴里流出来了。

如果把壶盖上的这个小孔堵住，空气不能流进茶壶里，水从壶嘴流出后，茶壶里的空气压力小，外面大气的压力大，水就倒不出来了。

路灯下人影为什么有长有短

tài yáng luò shān le tiān hēi le jiē
太阳落山了，天黑了，街

shang de lù dēng shuā de liàng qi lai
上 的 路灯 "唰"地亮起来

le mǎ lù liǎng biān liàng shǎn shǎn
了。马路两边，亮闪闪、

huáng càn càn de dēng guāng yán shēn dào
黄 灿 灿 的 灯 光 延伸到

hěn yuǎn jiù xiàng yì zhí guà dào tiān biān
很远，就像一直挂到天边，

měi jí le
美极了。

hēi yè shí zài lù
黑夜时在路

dēng xià zǒu guo bù
灯下走过，不

zhī nǐ zhù yì dào méi
知你注意到没

yǒu rén men liú
有，人们留

206

zài dì shang de yǐng zi yǒu shí
在地上的影子有时

hěn cháng yǒu shí yòu hěn duǎn dùi yú
很长，有时又很短。对于

tóng yí gè lù dēng nǐ lí tā yuè jìn yǐng zi jiù yuè
同一个路灯，你离它越近，影子就越

duǎn lí tā yuè yuǎn yǐng zi jiù yuè cháng zhè
短，离它越远，影子就越长。这

shì shuí zài gǎo guǐ bǎ xì
是谁在搞鬼把戏？

yuán lái yǐng zi de cháng duǎn shì hé dēng guāng yǔ
原来，影子的长短是和灯光与

shēn tǐ de jiā jiǎo yǒu guān xi de lí lù dēng yuè jìn dēng
身体的夹角有关系的。离路灯越近，灯

guāng yǔ shēn tǐ de jiā jiǎo yuè xiǎo yǐng zi jiù yuè duǎn lí
光与身体的夹角越小，影子就越短；离

lù dēng yuè yuǎn jiā jiǎo yuè dà yǐng zi jiù yuè cháng
路灯越远，夹角越大，影子就越长。

207

汽车轮胎上为什么有花纹

xiǎopéngyǒumenzhù yì dào le ma　hěnduōchēliàng
小 朋 友 们 注 意 到 了 吗？很 多 车 辆

de xiàngjiāolún tāi biǎomiàn dōu yǒu āo tū bù píng de huā
的 橡 胶 轮 胎 表 面 都 有 凹 凸 不 平 的 花

wén
纹 。

zhè kě bú shìwèi le piàoliang　ér shìwèi le fángzhǐchē
这 可 不 是 为 了 漂 亮 ，而 是 为 了 防 止 车轮在平滑的路面上滚动时打滑。轮胎上这些花纹形成的不太光滑的表面能够增加轮子与地面之间的摩擦力，使行驶中的车辆在急刹车时能够尽快停下来。如果因为打滑而不能及时停车，那后果可就严重啦！

有时在冰雪覆盖的坡道上开车，还要在轮胎上缚铁链，这也是为了同样的目的。

shuì xiàng yǒu sì zhǒng yǎng zhe shuì xiàng yòu cè
睡 相 有 四 种 ： 仰 着 睡 , 向 右 侧

shuì xiàng zuǒ cè shuì pā zhe shuì ér xiàng yòu cè shuì shì
睡 , 向 左 侧 睡 , 趴 着 睡 。 而 向 右 侧 睡 是

zuì hǎo de shuì xiàng yīn wèi rén de xīn zàng zài xiōng qiāng de
最 好 的 睡 相 , 因 为 人 的 心 脏 在 胸 腔 的

zuǒ miàn xiàng yòu cè shuì néng jiǎn qīng xīn zàng de fù dān
左 面 , 向 右 侧 睡 能 减 轻 心 脏 的 负 担 ,

ér qiě zhè zhǒng zī shì néng shǐ liǎng tiáo tuǐ zì yóu wān qū
而 且 这 种 姿 势 能 使 两 条 腿 自 由 弯 曲 ,

全身肌肉充分放松，嘴和鼻子不会被堵住，呼吸顺畅。

仰着睡，舌头容易后坠，使呼吸不畅，有时还引起打呼噜。趴着睡，会压迫胸部和腹部，加重心和肺的负担，而且趴着睡时，头扭在一边，醒来后会觉得头颈酸，浑身不舒服。

Shèngdàn Lǎogōnggong shì Xī fāng tónghuà zhōng de
圣 诞 老 公 公 是 西 方 童 话 中 的

rénwù cóngqián yǒu yí gè hé ǎi kě qīn de rén míng jiào
人物。 从 前 ,有 一 个 和 蔼 可 亲 的 人 ,名 叫

Nígǔlā xiǎopéng yǒudōu jiào tā Nígǔlā shūshu Nígǔ
尼古拉, 小 朋 友 都 叫 他 尼 古 拉 叔 叔 。尼 古

lā shūshu hěn xǐ huan xiǎo hái zi měi nián shèng dàn zhī
拉 叔 叔 很 喜 欢 小 孩 子 ,每 年 圣 诞 之

yè tā jiù huì dào gè gè dì fang bǎ lǐ wù sòng gěi xiǎopéng
夜 ,他 就 会 到 各 个 地 方 ,把 礼 物 送 给 小 朋

友们，第二天一早，孩子们 睁 开眼睛，就
会很高兴地说："尼古拉叔叔 送 给我礼
物啦！"

因为大家都 很喜欢 他，就 称 他为
"圣 尼古拉"。后来他老了，小 朋 友就 称
他为"圣 诞老公 公"。现在世界 上 的
人们 为了纪念尼古拉，到 圣 诞节的时
候，大人们 都要
准备一份礼物
给小 朋 友。

为什么有的人睡觉时打呼噜

rén zài shuì jiào shí quán shēn de jī ròu dōu fàng sōng
人在睡觉时，全身的肌肉都放松

le zhè shí kào jìn hóu lóng kǒu de xuán yōng chuí yě chēng
了。这时靠近喉咙口的悬雍垂，也称

xiǎo shé tou jiù huì chuí xia lai rú guǒ shuì jiào de rén zhāng
小舌头，就会垂下来。如果睡觉的人张

zhe zuǐ hū xī kōng qì jìn jin chū chū jiù huì chōng jī xiǎo shé
着嘴呼吸，空气进进出出，就会冲击小舌

214

tou fā chū hū lu shēng
头,发出 呼噜 声 。

　　rú guǒ nǐ shāng fēng gǎn mào le bí zi bù tōng qì
　　如果 你 伤 风 感 冒 了,鼻子 不 通 气,
shuì jiào shí yòng zuǐ hū xī kōng qì jiù huì zhèn dòng kǒu
睡 觉 时 用 嘴 呼 吸, 空 气 就 会 震 动 口
qiāng shàng mian de ruǎn è yě huì fā chū hū lu shēng
腔 上 面 的 软 腭,也会发出呼噜 声 。

　　yì bān shuō lai yǎng zhe shuì róng yì dǎ hū lu rú guǒ
　　一般 说 来,仰 着 睡 容 易 打 呼噜,如果
cè zhe shuì jiù bú huì le
侧着 睡 就 不会 了。

为什么蜂房造成六角形

yàn zi huì xián lai cǎo gēn jiàn yàn wō　mǎ yǐ huì lěi ní
燕子会衔来草根建燕窝，蚂蚁会垒泥
shā zhù yǐ xuè　mì fēng huì yòng fēng là zào fēng cháo
沙筑蚁穴，蜜蜂会用蜂蜡造蜂巢。
　　zhù zài chéng shì li de xiǎo péng yǒu jiàn guo fēng wō
　　住在城市里的小朋友见过蜂窝
méi　fēng cháo jiù xiàng nà yàng　shàng mian bù mǎn le xiǎo
煤，蜂巢就像那样，上面布满了小
dòng dòng　　zhù zài shān li de xiǎo péng yǒu dāng rán kě yǐ
洞洞。住在山里的小朋友当然可以
miáo shù　　fēng cháo shì yóu hěn duō xiǎo fáng zi lián zài yì
描述：蜂巢是由很多小房子连在一

216

起构成的。这些小房子还是六角形的，整个蜂巢也是个六角形的柱体。

那么，蜂房为什么要造成六棱柱形呢？经过计算，科学家发现，装一样多的东西时，六棱柱形的房间是最省蜂蜡的结构。原来蜜蜂还是个能工巧匠呢!

217

在一杯水中加一匙糖水为什么不增多

bǎ mǎn mǎn yì chí táng dào rù mǎn mǎn yì bēi kāi shuǐ
把 满 满 一匙 糖 倒 入 满 满 一杯 开 水

zhōng zhǐ jiàn táng zài shuǐ li màn man bú jiàn le ér shuǐ
中 ,只 见 糖 在 水 里 慢 慢 不 见 了,而 水

wèi shén me méi yǒu yì chū lai ne
为 什 么 没 有 溢 出 来 呢 ?

yīn wèi shuǐ hé táng dōu shì yóu fēi cháng xiǎo de kē lì
因 为 水 和 糖 都 是 由 非 常 小 的 颗粒

zǔ chéng de zhè xiē yòng fàng dà jìng dōu kàn bu jiàn de xiǎo
组 成 的 ,这 些 用 放 大 镜 都 看 不 见 的 小

kē lì jiào zuò fēn zǐ　　zài yí gè gè fēn zǐ zhī jiān　dōu yǒu yí
颗 粒 叫 做 分 子。在 一 个 个 分 子 之 间，都 有 一

dào dào hěn xiǎo de xiǎo fèng er　rén de yǎn jing jiù gèng kàn
道 道 很 小 的 小 缝 儿，人 的 眼 睛 就 更 看

bu jiàn le　　kě shì fēn zǐ zuān jin qu què yì rú fǎn zhǎng
不 见 了。可 是 分 子 钻 进 去 却 易 如 反 掌 。

bǎ táng fàng jìn shuǐ li hòu　táng fēn zǐ jiù huì màn man
把 糖 放 进 水 里 后，糖 分 子 就 会 慢 慢

zuān jìn shuǐ fēn zǐ zhī jiān de fèng li qu　　suǒ yǐ
钻 进 水 分 子 之 间 的 缝 里 去。所 以

kàn dào táng huà le　　dàn bēi zi li de shuǐ
看 到 糖 化 了，但 杯 子 里 的 水

miàn què méi yǒu biàn huà
面 却 没 有 变 化。

219

为什么说"生命离不开水"

水是我们身体的主要成分,在父母亲这样的大人身体里,水分差不多要占到三分之一;而刚生下来的小宝宝身体里的水分要占到五分之四。生命离不开水,一个人只要有水喝,即使不吃其他任何食物,还能活上10天左右。如果

220

没有水喝，那么连5天也活不了。水能溶解许多物质，营养物质必须先溶解于水，然后才能被人体吸收。人每天要喝许多水，又通过出汗、呼吸和大小便把一些水分排出体外。

所以说，生命离不开水。

短跑运动员为什么穿钉鞋

duǎn pǎo yùn dòng yuán bǐ sài shí　chuān de xié hěn
短跑运动员比赛时，穿的鞋很
guài　xié dǐ xià bù mǎn le dīng zi　zhè jiào dīng xié
怪，鞋底下布满了钉子，这叫钉鞋。

　　rén zǒu lù　kào de shì jiǎo yǔ dì miàn de mó cā lì　wèi
人走路，靠的是脚与地面的摩擦力。为
le zǒu de kuài　rén men gěi xié dǐ kè shang huā wén　lái zēng
了走得快，人们给鞋底刻上花纹，来增
jiā mó cā
加摩擦。

　　duǎn pǎo bǐ sài shí　yùn dòng yuán wèi le pǎo de kuài
短跑比赛时，运动员为了跑得快，

rú guǒ chuān pǔ tōng de xié jiǎo róng yì dǎ huá huì shuāi
如果 穿 普通的鞋，脚容易打滑，会摔

gēn tou ér chuān dīng xié pǎo bù dīng zi shēn shēn zhā jìn
跟头。而 穿 钉鞋跑步，钉子深 深 扎进

pǎo dào li bú huì dǎ huá yùn dòng yuán pǎo bù shí dēng dì
跑道里，不会打滑，运 动 员 跑步时蹬地

yǒu lì tái jiǎo mài bù shí dīng zi yòu róng yì bá chu lai zhè
有力，抬脚迈步时钉子又容易拔出来。这

yàng jiù néng gòu pǎo de gèng kuài xiē chuàng zào chu gèng
样，就能够跑得更快些， 创 造出更

hǎo de chéng jī
好的 成 绩。

微波炉为什么能烧熟食物

微波炉是一种先进的家用电子炊具，它的形状像一个长方形的烤箱。烧菜时，接通电源，它的内部会发射一种叫做微波的电磁波。

食物都是由分子组成的，微波射到食

物 上，可以使食物分子剧烈震 动起来，于
是食物的温度就自己迅速 升 高，很 快就
熟了。

微波 穿 透力很 强，使用 时，食物的
内外一起变热。它可以迅速地给食物解 冻，
做一个菜只需 两 三 分 钟 ，又 省 时，又不
损 坏食物的营 养 成 分，味道也很 鲜
美。

灯泡为什么会发光

ràng wǒmen ná yí gè dēng pào lái kàn kan nǐ fā xiàn
让我们拿一个灯泡来看看，你发现

shénme méiyǒu lǐ miàn yǒu wū sī
什么没有？里面有钨丝!

duì le dēng pào huì liàng jiù yīn wèi wū sī de yuán
对了。灯泡会亮，就因为钨丝的原

yīn zhè zhǒng wū sī jiào zuò dēng sī shì yòng wū zuò
因。这种钨丝叫做灯丝，是用钨做

chéng de wū shì yì zhǒng bù róng yì tōng guò diàn liú de jīn
成的。钨是一种不容易通过电流的金

shǔ
属。

也许有人会觉得奇怪，为什么要用比毛还细的不容易通过电的金属做灯丝呢？这个道理很简单。电一流到灯丝上，因为不容易通过，就会放出高热。一产生高热，自然就会发光。灯丝的热度一般可以达到1000～2000°C，所以会发出白光，因此普通的灯泡被称作"白炽灯泡"。

为什么走马灯会转

měinián de zhēngyuèshíwǔ Yuánxiāo jié dōu yǒu dēng
每年的正月十五元宵节都有灯

zhǎn ér qí zhōnghuìzhuàn de zǒumǎdēngzǒnglàng rénkàn
展,而其中会转的走马灯总让人看

bugòu
不够。

yào shǐ zǒu mǎ dēng zhuàn qi lái bìng bù nán zhǐ yào
要使走马灯转起来并不难,只要

zuò dào sān tiáo yí shì dēng dǐng bù zuò gè zhǐ fēng chē
做到三条:一是灯顶部做个纸风车

（风叶），二是灯底要缕空通风，三是中间插上蜡烛或装盏电灯。这样点燃蜡烛后，走马灯内空气受热上升，推动风车转动起来。热空气上升，冷空气从下面补充进去，使走马灯转个不停。

爱科技制作的少年朋友，不妨在老师指导下自己动手做个简易走马灯，一定很有趣味。

为什么坦克要安装履带

汽车的下面安装着轮子，为什么坦克却要安装履带呢？这是为了增加坦克和地面接触的面积。

人在泥地里走的时候，脚会陷得很深。如果放一块长长的木板在上面，人再从木板上走过去，就不会陷下去了。这说明同样重量的物体，和地

面的接触面积越大，一定范围内压力就
越小。

坦克浑身披着钢甲，非常重，如
果用车轮支撑，地面受不了那么大的
压力，车轮会陷进地面很深。而装
上履带，增大接触面积，就不会陷下去
了。

为什么汽车灯罩的玻璃凹凸不平

měi liàng qì chē qián dōu yǒu liǎng gè dà dēng xiàng
每 辆 汽 车 前 都 有 两 个 大 灯 ， 像

liǎng zhī yǎn jing yí yàng bāng zhù sī jī kàn lù tā de gōng
两 只 眼 睛 一 样 帮 助 司 机 看 路，它 的 功

láo kě dà la kě shì měi zhī chē dēng wài mian de bō li dēng
劳 可 大 啦！可 是 每 只 车 灯 外 面 的 玻 璃 灯

zhào wèi shén me zǒng shì āo tū bù píng de ne
罩 为 什 么 总 是 凹 凸 不 平 的 呢?

jiāng qì chē dēng de bō li dēng zhào zuò chéng bù píng
将 汽 车 灯 的 玻 璃 灯 罩 做 成 不 平

232

的形状，实际上形成了许多透镜和棱镜组成的玻璃面。它能把光线散射开，照亮的范围就大了。这样，司机不仅能看清汽车前方的道路，也能看清汽车两旁的景物，保证汽车能安全行驶。

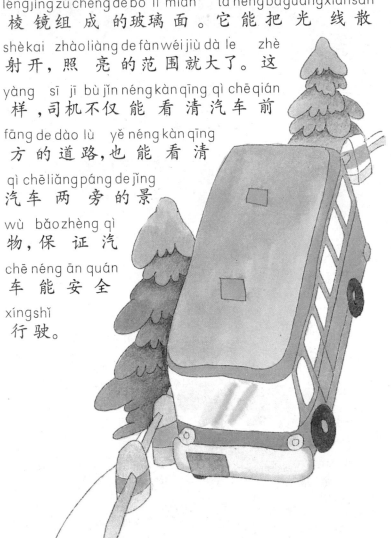

光为什么能使机器狗动起来

nǐ xiǎo shí hou wán jù yí dìng hěn duō ba qì chē
你小时候玩具一定很多吧,汽车、

chēng hé wá wa děng qí zhōng kǒng pà shǔ huì dòng de huì
枪和娃娃等,其中恐怕数会动的、会

fā xiǎng shēng de wán jù zuì hǎo wán le jiù shuō jī qì gǒu
发响声的玩具最好玩了。就说机器狗

ba zhǐ yào yòng shǒu diàn tǒng yí zhào tā de yǎn jing xiǎo
吧,只要用手电筒一照它的眼睛,小

gǒu jiù huì yáo zhe wěi ba zǒu dòng qi lai suí zhe guāng de
狗就会摇着尾巴走动起来。随着光的

yí dòng xiǎo gǒu yì hū er xiàng zuǒ zhuǎn yì hū er xiàng
移动,小狗一忽儿向左转,一忽儿向

^{yòuzhuǎn} ^{shífēnyǒuqù}
右 转 ，十分有趣。

　　^{jī qì gǒu de liǎng zhī jiǎo li gè zhuāng shang yí gè diàn}
机器狗的 两只脚里各 装 上一个电

^{dòng jī hé lún zi tā de liǎng zhī yǎn jing li gè zhuāng shang}
动机和轮子，它的两只眼睛里各 装 上

^{yí gè guāng diàn guǎn zhè ge guāng diàn guǎn yí shòu}
一个 光 电 管。这个 光 电 管一受

^{guāng zhào zhěng gè diàn lù jiù huì chǎn shēng diàn liú shǐ}
光 照，整个电路就会产 生 电流，使

^{diàn dòng jī gōng zuò dài dòng lún zi zhuàn qi lai jī qì}
电 动机工作，带动轮子转 起来，机器

^{gǒu biàn yì biān wāng wāng jiào yì biān zǒu dòng qi lai le}
狗便一边 汪 汪叫，一边走动起来了。

为什么鞭炮会炸响

guò nián la　　rén men xìng gāo cǎi liè de guà dēng
过 年 啦！人 们 兴 高 采 烈 地 挂 灯

long zuò nián fàn　　xiǎo péng yǒu men xǐ huan de dāng rán
笼，做 年 饭。小 朋 友 们 喜 欢 的 当 然

hái shì fàng biān pào la　　nǐ tīng　　pī pī bā bā de biān pào
还 是 放 鞭 炮 啦。你 听，"噼噼叭叭"的 鞭 炮

shēng duō rè nao ya　　biān pào wèi shén me huì zhà xiǎng
声 多 热 闹 呀！鞭 炮 为 什 么 会 炸 响？

yuán lái　　biān pào lǐ miàn zhuāng mǎn le hēi sè de huǒ
原 来，鞭 炮 里 面 装 满 了 黑 色 的 火

yào　　shàng mian hái liú zhe yì gēn dǎo huǒ xiàn
药，上 面 还 留 着 一 根 导 火 线。

放鞭炮时，我们引燃导火线，导火线很快点燃了火药。火药燃烧起来，产生大量的气体，同时鞭炮里原有的气体也因受热而很快膨胀，里面再也装不下了，这些气体使劲撑破鞭炮壳冲出来，就发出了"砰"的响声。

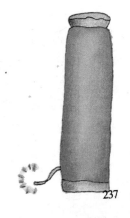

237

为什么音乐贺卡会放出好听的音乐

guò shēng rì shí nǐ yě xǔ huì shōu dào yì zhāng jīng měi
过 生 日时你也许会 收 到一 张 精 美

de yīn yuè hè kǎ　　qīng qīng dǎ kai　　lǐ miàn huì zòu chu yí
的音乐贺卡。 轻 轻打开, 里 面 会奏出一

duàn yōu měi　wēn xīn de yīn yuè　hǎo tīng jí le　　zhè yīn yuè
段 优美、温 馨的音乐, 好听极了。这音乐

shì zěn me pǎo dào hè kǎ li qù de ne
是怎么跑 到贺卡里去的呢?

xì xīn de xiǎo péng yǒu yě xǔ huì fā xiàn　yuán lái ào mì
细心的小 朋 友也许会发现, 原 来奥秘

238

在贺卡的夹层里,那里藏着几件小东西,一个是一颗很小的电池,一个是一块集成电路,一个是一片压电陶瓷片。那块集成电路就像半导体收音机,压电陶瓷片好像一个喇叭,当打开贺卡时,电路就接通了,于是,压电陶瓷片中就会发出音乐来。

为什么傣族人喜欢住竹楼

Dǎi zú rén dà duō shēng huó zài wǒ guó nán fāng de Yún
傣族人大多 生 活在我国南 方的云

nán Shěng nà li duō yǔ cháo shī sì jì qì hòu wēn
南 省 。那里多雨、潮湿,四季气候温

nuǎn dào chù shēng zhǎng zhe gāo dà de fèng wěi zhú Dǎi
暖 ,到处 生 长 着高大的凤尾竹。傣

zú rén jiù dì qǔ cái bǎ zhú zi kǎn xia lai yòng cū dà de zhú
族人就地取材,把竹子砍下来,用 粗大的竹

zi zuò liáng zhù bǎ xì zhú zi jiā gōng pī chéng xì báo de zhú
子做 梁 柱,把细竹子加工 劈 成 细薄的竹

piàn biānchéngzhú lí baqiáng zhèyàng jiùgài qi le yí
片,编 成 竹篱笆墙。这样,就盖起了一

zuò zuòzhú lóu zhè bǐ gài zhuān wǎ fáng yào shèng shì de
座座竹楼。这比盖 砖 瓦房要 省 事得

duō ér qiězhù qi lai yě hěn liángshuǎng shū fu
多,而且住起来也很凉 爽 、舒服。

yīnwèizhúlóu lí dì miànhěngāo
因为竹楼离地面 很高,

suǒ yǐ háinéngfángcháo fángchóng
所以还能 防潮、防 虫。

tiān cháng rì jiǔ dài dàixiāng chuán
天 长 日久,代代 相 传,

zhú lóu jiù chéng le yǒu Dǎi
竹楼就 成 了有傣

zú tè sè de
族特色的

jiànzhù
建 筑。

241

文字作者:刘正兴
　　　　　朱艳琴
　　　　　潘学馥
　　　　　继　军
　　　　　尚　伟
　　　　　黄　智等
美术作者:刘泽岱
　　　　　刘　旦
　　　　　邹　勤
　　　　　杨　越
　　　　　铁　癸
　　　　　小　军
　　　　　芳　珏等
责任编辑:颜志强
　　　　　黎　灏
美术编辑:黄　平

幼儿版

十万个为什么(上、下)

刘正兴等 编著

刘泽岱等 插图

费 嘉 装帧

责任编辑 颜志强 黎 灏　美术编辑 黄 平

责任校对 沈南英　　　　　技术编辑 陈 浩

少年儿童出版社出版发行	开本 787×1092 1/32
上海延安西路 1538 号	印张 16.25
邮政编码 200052	1996 年 9 月第 1 版
全国新华书店经销	1997 年 3 月第 4 次印刷
上海市印刷二、十厂印刷	印数 51,001－72,000

ISBN7－5324－3003－0/N·331(儿)　　定价:38.00元